L'Évasion

Traduit de l'anglais par Jean Esch

www.cherubcampus.fr
www.casterman.com

Publié en Grande-Bretagne par Hodder Children's Books, sous le titre: *The Escape*

casterman

© Robert Muchamore 2009 pour le texte.

Conception graphique: Anne-Catherine Boudet

ISBN 978-2-203-04848-5
N° d'édition : L.10EJDN001006.C005
© Casterman 2010, 2012 pour la présente édition.
Achevé d'imprimer en février 2015, en Espagne.
Dépôt légal : octobre 2012 ; D.2012/0053/456
Déposé au ministère de la Justice, Paris (loi n° 49.956 du 16 juillet 1949
sur les publications destinées à la jeunesse).

Robert Muchamore

L'ÉVASION

HENDERSON'S BOYS. 01

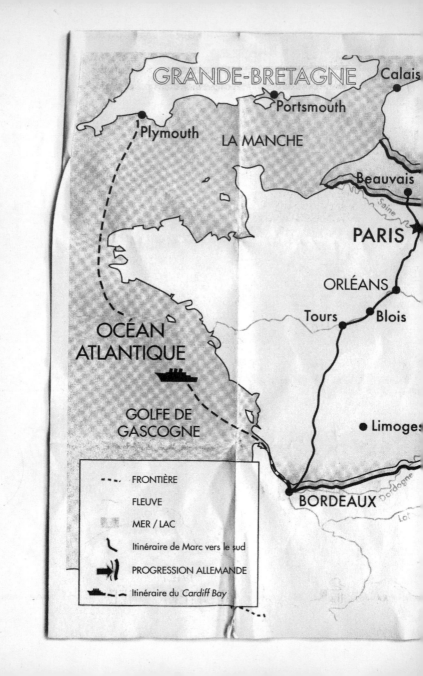

GRANDE-BRETAGNE

Calais

Portsmouth

Plymouth

LA MANCHE

Beauvais

Seine

PARIS

ORLÉANS

Tours

Blois

OCÉAN
ATLANTIQUE

GOLFE DE
GASCOGNE

Limoges

Dordogne

BORDEAUX

Lot

- - - FRONTIÈRE

FLEUVE

MER / LAC

Itinéraire de Marc vers le sud

➡ PROGRESSION ALLEMANDE

- - - Itinéraire du *Cardiff Bay*

FRANCE 1940 - La progression allemande

BRUXELLES

BELGIQUE

Front allemand
au 3 JUIN 1940

ALLEMAGNE

LUX. LUXEMBOURG

Front allemand
au 12 JUIN 1940

Rhin

Strasbourg

Danube

FRANCE

Dijon

AUT

★BERNE
SUISSE

Loire

Rhône

Lyon

MILAN

ITALIE

Front allemand
au 25 JUIN 1940

MER
MÉDITERRANÉE

Marseille

PREMIÈRE PARTIE

5 juin 1940 – 6 juin 1940

L'Allemagne nazie lança l'opération d'invasion de la France le 10 mai 1940. Sur le papier, les forces françaises alliées aux forces britanniques étaient égales, voire supérieures à celles des Allemands. La plupart des commentateurs prévoyaient une guerre longue et sanglante. Mais, alors que les forces alliées se déployèrent de manière défensive, les Allemands utilisèrent une tactique aussi nouvelle que radicale : le Blitzkrieg. Il s'agissait de rassembler des chars et des blindés pour former d'énormes bataillons qui enfonçaient les lignes ennemies.

Dès le 21 mai, les Allemands parvinrent ainsi à occuper une grande partie du nord de la France. Les Britanniques furent contraints de procéder à une humiliante évacuation par la mer, à Dunkerque, tandis que l'armée française était anéantie. Les généraux allemands souhaitaient poursuivre leur avancée jusqu'à Paris, mais Hitler leur ordonna de faire une pause afin de se regrouper et de renforcer leurs voies de ravitaillement.

La nuit du 3 juin, il donna finalement l'ordre de reprendre l'offensive.

CHAPITRE PREMIER

Bébé, Marc Kilgour avait été abandonné entre deux pots de fleurs en pierre sur le quai de la gare de Beauvais, à soixante kilomètres au nord de Paris. Un porteur le découvrit couché à l'intérieur d'un cageot de fruits et s'empressa de le conduire au chaud dans le bureau du chef de gare. Là, il découvrit l'unique indice de l'identité du bambin : un bout de papier sur lequel on avait griffonné ces cinq mots : *allergique au lait de vache.*

Âgé maintenant de douze ans, Marc avait si souvent imaginé son abandon que ce souvenir inventé était devenu une réalité : le quai de gare glacial, sa mère inquiète qui l'embrassait sur la joue avant de monter dans un train et de disparaître pour toujours, les yeux humides, la tête pleine de secrets, tandis que les wagons s'enfonçaient dans la nuit et les nuages de vapeur. Dans ses fantasmes, Marc voyait une statue érigée sur ce quai, un jour. Marc Kilgour : as de l'aviation, gagnant des 24 Heures du Mans, héros de la France...

Hélas, jusqu'à présent, sa vie avait été on ne peut plus terne. Il avait grandi à quelques kilomètres au nord de Beauvais, dans une grande ferme délabrée dont les murs lézardés et les poutres ratatinées étaient constamment menacés par le pouvoir destructeur d'une centaine de garçons orphelins.

Les fermes, les châteaux et les forêts de la région séduisaient les Parisiens qui venaient s'y promener en voiture le dimanche, mais pour Marc, c'était un enfer; et ces vies excitantes que lui laissaient entrevoir la radio et les magazines lui faisaient l'effet d'une torture.

Ses journées se ressemblaient toutes : la meute grouillante des orphelins se levait au son d'une canne qui frappait contre un radiateur en fonte, puis c'étaient les cours jusqu'au déjeuner, suivis d'un après-midi de labeur à la ferme voisine. Les hommes qui étaient censés accomplir ces tâches pénibles avaient tous été réquisitionnés pour combattre les Allemands.

La ferme des Morel était la plus grande de la région et Marc le plus jeune des quatre garçons qui y étaient employés. M. Thomas, le directeur de l'orphelinat, profitait de la pénurie de main-d'œuvre et recevait une coquette somme d'argent en échange du travail des garçons. Mais ceux-ci n'en voyaient jamais la couleur, et lorsqu'ils le faisaient remarquer, ils avaient droit à un regard courroucé et à un sermon qui soulignait tout ce qu'ils avaient déjà coûté en nourriture et en vêtements.

Suite à de nombreuses prises de bec avec M. Thomas, Marc avait hérité de la corvée la plus désagréable. Les terres de Morel produisaient essentiellement du blé et des légumes, mais le fermier possédait une douzaine de vaches laitières, dans une étable, et leurs veaux étaient élevés dans un abri voisin, pour leur viande. En l'absence de pâturages, les bêtes se nourrissaient uniquement de fourrage et apercevaient la lumière du jour seulement quand on les conduisait dans une ferme des environs pour s'ébattre avec Henri le taureau.

Pendant que ses camarades orphelins s'occupaient des champs, Marc, lui, devait se faufiler entre les stalles mitoyennes pour nettoyer l'étable. Une vache adulte produit cent vingt litres d'excréments et d'urine par jour, et elle ignore les vacances et les week-ends.

De ce fait, sept jours par semaine, Marc se retrouvait dans ce local malodorant à récurer le sol en pente pour faire glisser le fumier dans la fosse. Une fois qu'il avait ôté la paille piétinée et les déjections, il lavait à grande eau le sol en béton, puis déposait dans chaque stalle des bottes de foin et des restes de légumes. Deux fois par semaine, c'était la grande corvée : vider la fosse et faire rouler les tonneaux puants vers la grange, où le fumier se décomposerait jusqu'à ce qu'il serve d'engrais.

•••

Jade Morel avait douze ans, elle aussi, et elle connaissait Marc depuis leur premier jour d'école. Marc était un beau garçon, avec des cheveux blonds emmêlés, et Jade l'avait toujours bien aimé. Mais en tant que fille du fermier le plus riche de la région, elle n'était pas censée fréquenter les garçons qui allaient à l'école pieds nus. À neuf ans, elle avait quitté l'école communale pour étudier dans un collège de filles à Beauvais, et elle avait presque oublié Marc, jusqu'à ce que celui-ci vienne travailler à la ferme de son père quelques mois plus tôt.

Au début, ils n'avaient échangé que des signes de tête et des sourires, mais depuis que le temps s'était mis au beau, ils avaient réussi à bavarder un peu, assis dans l'herbe ; et parfois, Jade partageait avec lui une tablette de chocolat. Par timidité, leurs conversations se limitaient aux cancans et aux souvenirs datant de l'époque où ils allaient à l'école ensemble.

Jade approchait toujours de l'étable comme si elle se promenait, tranquillement, la tête ailleurs, mais très souvent, elle revenait sur ses pas ou bien se cachait dans les herbes hautes, avant de se relever et de faire mine de heurter Marc accidentellement au moment où celui-ci sortait. Il y avait dans ce jeu quelque chose d'excitant.

Ce jour-là, un mercredi, Jade fut surprise de voir Marc jaillir par la porte latérale de l'étable, torse nu et visiblement de fort mauvaise humeur. D'un coup de botte en caoutchouc, il envoya valdinguer un seau en fer qui traversa bruyamment la cour de la ferme. Il en prit un autre, qu'il plaça sous le robinet installé à l'extérieur de l'étable.

Intriguée, la fillette s'accroupit et s'appuya contre le tronc d'un orme. Marc ôta ses bottes crottées et jeta un regard furtif autour de lui avant d'ôter ses chaussettes, son pantalon et son caleçon. Jade, qui n'avait jamais vu un garçon nu, plaqua sa main sur sa bouche, alors que Marc montait sur une dalle carrelée et saisissait un gros savon.

Les mains en coupe, il les plongea dans le seau et s'aspergea tout le corps avant de se savonner. L'eau était glacée et, malgré le soleil qui tapait, il se dépêchait. Quand il fut couvert de mousse, il souleva le seau au-dessus de sa tête et versa l'eau.

Le savon lui piquait les yeux ; il se jeta sur la serviette crasseuse enroulée autour d'un poteau en bois.

— J'ai vu tes fesses ! cria Jade en sortant de sa cachette.

Marc écarta précipitamment les cheveux mouillés qui masquaient son visage et découvrit avec stupéfaction le regard pétillant et le sourire doux de Jade. Il lâcha la serviette et bondit sur son pantalon en velours.

— Bon sang ! fit-il en sautant à cloche-pied pour tenter d'enfiler son pantalon. Ça fait longtemps que tu es là ?

— Suffisamment, répondit la jeune fille.

— D'habitude, tu ne viens jamais si tôt.

— J'ai pas école, expliqua Jade. Certains profs ont filé. Les Boches arrivent.

Marc hocha la tête pendant qu'il boutonnait sa chemise. Il expédia ses bottes dans l'étable.

— Tu as entendu les tirs d'artillerie ? demanda-t-il.

— Ça m'a fait sursauter. Et puis aussi les avions allemands ! Une de nos domestiques a dit qu'il y avait eu des incendies en ville, près de la place du marché.

— Oui, on sent une odeur de brûlé quand le vent tourne. Vous devriez partir dans le sud avec la belle Renault de ton père.

Jade secoua la tête.

— Ma mère veut partir, mais papa pense que les Allemands ne nous embêteront pas si on leur fiche la paix. Il dit qu'on aura toujours besoin de fermiers, que le pays soit gouverné par des escrocs français ou allemands.

— Le directeur nous a laissés écouter la radio hier soir. Ils ont annoncé qu'on préparait une contre-attaque. On pourrait chasser les Boches.

— Oui, peut-être, dit Jade, sceptique. Mais ça se présente mal…

Marc n'avait pas besoin d'explications. Les stations de radio officielles débitaient des commentaires optimistes où il était question de riposte et des discours enflammés qui parlaient de « l'esprit guerrier des Français ». Mais aucune propagande, aussi massive soit-elle, ne pouvait cacher les camions remplis de soldats blessés qui revenaient du front.

16

— C'est trop déprimant, soupira Marc. J'aimerais tellement avoir l'âge de me battre. Au fait, tu as des nouvelles de tes frères ?

— Non, aucune… Mais personne n'a de nouvelles de personne. La Poste ne fonctionne plus. Ils sont sans doute prisonniers. À moins qu'ils se soient enfuis à Dunkerque.

Marc hocha la tête avec un sourire qui se voulait optimiste.

— D'après *BBC France*, plus de cent mille de nos soldats ont réussi à traverser la Manche avec les Britanniques.

— Mais dis-moi, pourquoi étais-tu de si mauvaise humeur ? demanda Jade.

— Quand ça ?

— À l'instant, dit la fillette avec un sourire narquois. Tu es sorti de l'étable furieux et tu as donné un coup de pied dans le seau.

— Oh ! J'avais fini mon travail quand je me suis aperçu que j'avais oublié ma pelle dans une des stalles. Alors, je me suis penché à l'intérieur pour la récupérer et au même moment, la vache a levé la queue et, PROOOUT ! elle m'a chié en plein visage. En plus, j'avais la bouche ouverte…

— Arrggh ! s'écria Jade en reculant, horrifiée. Je ne sais pas comment tu peux travailler là-dedans ! Rien que l'odeur, ça me donne la nausée. Si ce truc me rentrait dans la bouche, j'en mourrais.

— On s'habitue à tout, je crois. Et ton père sait que c'est un sale boulot, alors je travaille deux fois moins longtemps que les gars dans les champs. En plus, il m'a filé des bottes et des vieux habits de tes frères. Ils sont trop grands, mais au moins après, je ne me promène pas en puant le fumier.

Une fois son dégoût passé, Jade vit le côté amusant de la chose et elle rejoua la scène en levant son bras comme si c'était la queue de la vache et en faisant un grand bruit de pet. « FLOC ! »

Marc était vexé.

— C'est pas drôle ! J'ai encore le goût dans la bouche.

Cette remarque fit rire Jade de plus belle, alors Marc s'emporta :

— Petite fille riche ! Évidemment que tu ne le supporterais pas. Tu pleurerais toutes les larmes de ton corps !

— PROOOUT ! FLOC ! répéta Jade.

Elle riait si fort que ses jambes en tremblaient.

— Attends, je vais te montrer ce que ça fait, dit Marc.

Il se jeta sur elle et la saisit à bras-le-corps.

— Non ! Non ! protesta la fillette en donnant des coups de pied dans le vide, alors que le garçon la soulevait de terre.

Impressionnée par la force de Marc, elle lui martelait le dos avec ses petits poings, tandis qu'il l'entraînait vers la fosse à purin située à l'extrémité de la grange.

— Je le dirai à mon père ! Tu vas avoir de gros ennuis !

— PROOOUT ! SPLASH ! répondit Marc en renversant Jade la tête en bas, si bien que ses cheveux longs pendaient dangereusement au-dessus de la fosse malodorante.

La puanteur était comme une gifle.

— Tu as envie de piquer une tête ?

— Repose-moi !

Jade sentait son estomac se soulever en voyant les mouches posées sur la croûte brunâtre où éclataient des bulles de gaz.

— Espèce de crétin ! Si jamais j'ai une seule tache de purin sur moi, tu es un homme mort !

Jade s'agitait furieusement et Marc s'aperçut qu'il n'avait pas la force de la retenir plus longtemps, alors il la retourna et la planta sur le sol.

— Imbécile ! cracha-t-elle en se tenant le ventre, prise de haut-le-cœur.

— Cela te semblait si drôle pourtant quand ça m'est arrivé.

— Pauvre type, grogna Jade en arrangeant ses cheveux.

— Peut-être que la princesse devrait retourner dans son château pour travailler son Mozart, ironisa le garçon en produisant un bruit strident comme un violon qu'on massacre.

Jade était furieuse, non pas à cause de ce qu'avait fait Marc, mais parce qu'elle avait eu la faiblesse de se prendre d'affection pour lui.

— Ma mère m'a toujours dit d'éviter les garçons de ton espèce, dit-elle en le foudroyant du regard, les yeux plissés à cause du soleil. Les orphelins ! Regarde-toi ! Tu viens de te laver, mais même tes vêtements propres ressemblent à des haillons !

— Quel sale caractère, dit Marc.

— Marc Kilgour, ce n'est pas étonnant que tu mettes les mains dans le fumier, tu es dans ton élément !

Marc aurait voulu qu'elle se calme. Elle faisait un raffut de tous les diables et M. Morel adorait sa fille unique.

— Chut, pas si fort, supplia-t-il. Tu sais, nous autres, garçons de ferme, on aime faire les idiots. Je suis désolé. Je n'ai pas l'habitude des filles.

Jade s'élança et tenta de le gifler, mais Marc esquiva. Elle pivota alors pour le frapper derrière la tête, mais ses tennis en toile glissèrent sur la terre sèche et elle se retrouva en train de faire le grand écart.

Marc tendit la main pour la retenir, tandis que le pied avant de la jeune fille continuait à déraper ; hélas ! le tissu de sa robe glissa entre ses doigts et, impuissant, il ne put que la regarder basculer dans la fosse.

CHAPITRE DEUX

Les premières bombes s'abattirent sur Paris dans la nuit du 3 juin. Ces explosions qui symbolisaient l'avancée des troupes allemandes donnèrent le coup d'envoi de l'évacuation de la capitale.

Un an plus tôt, le régime nazi avait terrorisé Varsovie après l'invasion de la Pologne et les Parisiens redoutaient de subir le même sort : juifs et fonctionnaires du gouvernement assassinés dans la rue, jeunes femmes violées, maisons pillées et tous les hommes valides envoyés dans les camps de travail. Alors que la plupart des habitants de la capitale fuyaient, en train, en voiture ou à pied, d'autres, en revanche, considérés comme des inconscients et des idiots par ceux qui partaient, continuaient à vivre comme si de rien n'était.

Paul Clarke était un frêle garçon de onze ans. Il faisait partie des élèves, de moins en moins nombreux, qui fréquentaient encore la plus grande école anglophone de Paris. Celle-ci accueillait les enfants britanniques dont les parents travaillaient dans la capitale, mais n'avaient pas les moyens d'envoyer leur progéniture dans un pensionnat au pays. C'étaient les fils et les filles des petits fonctionnaires d'ambassade, des attachés militaires de grade inférieur, des chauffeurs ou des modestes employés d'entreprises privées.

Depuis le début du mois de mai, le nombre d'élèves était passé de trois cents à moins de cinquante. D'ailleurs, la plupart des professeurs étaient partis, eux aussi, dans le sud ou bien étaient rentrés en Grande-Bretagne. Les enfants restants, âgés de cinq à seize ans, suivaient un enseignement de bric et de broc dispensé dans le hall principal de l'école, une immense salle ornée de boiseries, sous le portrait sévère du roi George et une carte de l'Empire britannique.

Le 3 juin, il ne restait qu'une seule enseignante : la fondatrice et directrice de l'établissement, Mme Divine. Elle avait réquisitionné sa secrétaire pour lui servir d'assistante.

Paul était un garçon rêveur qui préférait cet arrangement de fortune à toutes ces années passées au milieu des élèves de son âge, assis droit comme un I sur sa chaise, à recevoir des coups de règle en bois sur les doigts chaque fois qu'il laissait son esprit vagabonder.

Le travail exigé par la vieille directrice n'était pas au niveau de l'intelligence de Paul, ce qui lui laissait du temps pour gribouiller. Il n'y avait pas un cahier de brouillon, pas un bout de papier dans son pupitre qui ne soit recouvert de dessins à la plume. Il avait un

22

penchant pour les chevaliers en armure et les dragons qui crachaient le feu, mais il savait aussi représenter très fidèlement les voitures de sport et les aéroplanes.

Les doigts tachés d'encre de Paul traçaient les contours d'un biplan français qui fondait héroïquement sur une rangée de chars allemands. Ce dessin lui avait été commandé par un garçon plus jeune et devait être payé d'un Toblerone.

— Hé, fil de fer !

La fillette assise juste derrière Paul lui donna une chiquenaude dans l'oreille et il rata l'extrémité d'une hélice.

— Bon sang ! pesta-t-il en se retournant pour foudroyer du regard sa sœur aînée.

Rosie Clarke venait d'avoir treize ans et elle était aussi différente de Paul que peuvent l'être un frère et une sœur. Certes, il y avait une certaine ressemblance dans les yeux et ils partageaient les mêmes cheveux bruns, les mêmes taches de rousseur, mais alors que les vêtements de Paul semblaient honteux de pendre sur son corps chétif, Rosie possédait des épaules larges, une poitrine précoce et des ongles longs qui faisaient souvent couler le sang de son frère.

— Rosemarie Clarke ! intervint Mme Divine avec son accent anglais très snob. Combien de fois devrai-je vous répéter de laisser votre frère tranquille ?

Paul se réjouissait d'avoir la directrice de son côté, mais cette intervention rappela à tous les élèves qu'il se faisait martyriser par sa sœur et il fut la cible des quolibets qui parcoururent la classe.

— Mais, madame, notre père est dehors ! expliqua Rosie.

Paul tourna vivement la tête vers la fenêtre. Concentré sur son dessin, il n'avait pas vu la Citroën bleu foncé entrer dans la cour de l'école. Un coup d'œil à la pendule au-dessus du tableau noir confirma qu'il restait une bonne heure avant la fin des cours.

— Madame Divine ! lança M. Clarke d'un ton mielleux en pénétrant dans le hall quelques instants plus tard. Je suis affreusement désolé de venir perturber votre classe.

La directrice, qui n'aimait pas les effusions, ne parvint pas à masquer son dégoût lorsque Paul et Rosie embrassèrent leur père sur les joues. Clarke était le représentant en France de la Compagnie impériale de radiophonie. Il était toujours vêtu d'un costume sombre, avec des chaussures brillantes comme un miroir et une extravagante cravate à pois que Mme Divine trouvait vulgaire. Toutefois, l'expression de la directrice se modifia quand M. Clarke lui tendit un chèque.

— Nous devons passer chercher quelques affaires à la maison avant de nous rendre dans le sud, expliquat-il. J'ai payé jusqu'à la fin du trimestre, alors je tiens à ce que cette école soit encore là quand la situation redeviendra normale.

— C'est très aimable à vous, dit Mme Divine.

Elle avait passé trente ans de sa vie à bâtir cet établissement, à partir de rien, et elle parut sincèrement émue lorsqu'elle sortit un mouchoir de la manche de son cardigan pour se tamponner les yeux.

Aujourd'hui, c'était au tour de Paul et de Rosie de jouer la scène des adieux à laquelle ils avaient si souvent assisté ce mois-ci. Les garçons se serraient la main, comme des gentlemen, alors que les filles avaient tendance à pleurer et à s'étreindre, en promettant de s'écrire.

Paul n'eut aucun mal à prendre un air distant car ses deux seuls camarades, ainsi que le professeur de dessin, étaient déjà partis. Un peu gêné, il se dirigea vers les plus jeunes élèves assis au premier rang et rendit le cahier de brouillon à son propriétaire de huit ans.

— Je crois que je ne pourrai pas terminer ton dessin, dit-il d'un ton contrit. Mais tu n'as plus qu'à repasser sur les traits au crayon à papier.

— Tu es vraiment doué, dit le garçon, admiratif devant l'explosion d'un char à moitié achevée. *(Il ouvrit son pupitre pour y ranger son cahier.)* Je le laisserai comme ça, je ne veux pas le gâcher.

Paul allait refuser d'être payé, lorsqu'il vit que le pupitre du garçon renfermait plus d'une douzaine de barres de chocolat triangulaires. Son Toblerone à la main, il regagna sa place et rangea ses affaires dans un cartable en cuir : plumes et encre, quelques bandes dessinées défraîchies et ses deux carnets d'esquisses qui contenaient ses plus beaux dessins. Pendant ce temps, sa sœur donnait libre cours à son exubérance naturelle.

— On reviendra tous un jour! clama-t-elle de manière théâtrale en étouffant dans ses bras Grace, une de ses meilleures amies.

— T'en fais pas, papa, dit Paul en s'approchant de la porte où attendait leur père, l'air hébété. C'est ça, les filles. Elles sont toutes un peu folles.

Paul s'aperçut alors que Mme Divine lui tendait la main, et il dut la lui serrer. C'était une personne sévère et froide, et il ne l'avait jamais beaucoup aimée, mais il avait été élève pendant cinq ans dans cette école et il perçut une sorte de tristesse dans les vieux doigts noueux.

— Merci pour tout, lui dit-il. J'espère que les Allemands ne feront rien d'horrible en arrivant ici.

— Allons, Paul! dit M. Clarke en donnant une petite tape sur la tête de son fils. On ne dit pas des choses comme ça, voyons!

Rosie avait fini de broyer ses amies dans ses bras et elle ne put retenir ses larmes en serrant vigoureusement les mains de la directrice et de sa secrétaire. Paul, lui, se contenta d'un vague salut de la main à l'attention de toute la classe, avant de suivre son père dans le couloir, jusque sur le perron.

Le soleil brillait sur les pavés de la cour alors qu'ils se dirigeaient vers l'impressionnante Citroën. Il n'y avait aucun nuage dans le ciel, mais l'école était située sur une colline qui dominait la ville et l'on pouvait voir de la fumée s'échapper de plusieurs bâtiments dans le centre.

— Je n'ai pas entendu de bombardement, commenta Rosie en rejoignant son frère et son père.

— Le gouvernement émigre vers le sud, expliqua M. Clarke. Alors, ils brûlent tout ce qu'ils ne peuvent pas emporter. Le ministère de la Défense a même incendié certains de ses édifices.

— Pourquoi partent-ils ? demanda Paul. Je croyais qu'il devait y avoir une contre-offensive.

— Ne sois pas si naïf, espèce de bébé, ricana Rosie.

— Nous ne serions peut-être pas dans un tel pétrin si nos alliés avaient des radios correctes, dit M. Clarke d'un ton amer. Les forces allemandes communiquent instantanément entre elles. Les Français, eux, envoient des messagers à cheval ! J'ai tenté de vendre un système radio à l'armée française, mais leurs généraux vivent encore au Moyen Âge.

Paul fut surpris de voir une cascade de documents dégringoler à ses pieds quand il ouvrit la portière arrière de la voiture.

— Fais attention à ce que le vent ne les emporte pas ! s'exclama son père en plongeant pour ramasser les enveloppes de papier kraft éparpillées dans la cour.

Paul s'empressa de refermer la portière et colla son nez à la vitre : la banquette était couverte de classeurs et de feuilles volantes.

— Ce sont les archives de la Compagnie impériale de radiophonie. J'ai dû quitter le bureau précipitamment.

— Pourquoi ? demanda Rosie.

Son père ignora la question. Il ouvrit la portière du passager, à l'avant.

— Paul, je pense qu'il est préférable que tu te faufiles entre les sièges. Et j'aimerais que tu ranges tous ces papiers pendant le trajet. Rosie, monte devant.

Paul trouvait son père tendu.

— Tout va bien, papa ?

— Oui, bien sûr.

M. Clarke lui adressa son plus beau sourire de représentant de commerce.

— J'ai eu une matinée épouvantable, voilà tout. J'ai dû faire quatre garages pour trouver de l'essence, et finalement, j'ai été obligé d'aller en quémander à l'ambassade de Grande-Bretagne.

— À l'ambassade ? répéta Rosie, étonnée, en claquant la portière.

— Oui, ils ont des réserves de carburant pour permettre au personnel de fuir en cas d'urgence, précisa son père. Heureusement, je connais quelques personnes là-bas. Mais j'ai dû mettre la main à la poche.

M. Clarke n'était pas riche, mais sa Citroën six cylindres était une somptueuse berline qui appartenait à la Compagnie impériale de radiophonie. Paul adorait voyager à l'arrière, sur l'immense banquette en velours, avec les garnitures en acajou et les rideaux à glands devant les vitres.

— Il y a un ordre pour classer ces papiers ? demanda-t-il en dégageant une petite place pour poser ses fesses, alors que son père sortait de la cour de l'école.

— Contente-toi de les empiler, dit M. Clarke pendant que Rosie se retournait pour faire de grands signes à son amie Grace qui était sortie sur le perron. Je prendrai une valise à la maison.

— Où va-t-on ? interrogea Paul.

— Je ne sais pas trop. Dans le sud, en tout cas. Aux dernières nouvelles, il y avait encore des bateaux qui ralliaient la Grande-Bretagne au départ de Bordeaux. Sinon, nous devrions pouvoir passer en Espagne et embarquer à Bilbao.

— Et si on ne peut pas entrer en Espagne ? demanda Rosie avec une pointe d'inquiétude dans la voix, tandis que son frère ordonnait une liasse de feuilles en les tapotant sur l'accoudoir en cuir.

— Eh bien… répondit M. Clarke, hésitant. Nous ne serons fixés qu'en arrivant dans le sud. Mais ne t'en fais pas, ma chérie. La Grande-Bretagne possède la plus grande flotte marchande et la marine la plus puissante du monde. Il y aura toujours un bateau en partance.

La Citroën dévalait la colline en passant devant des rangées d'immeubles qui abritaient parfois une boutique ou un café au rez-de-chaussée. La moitié des commerces avaient baissé leur rideau de fer, certains étaient condamnés par des planches, mais d'autres continuaient à servir les clients, en dépit des nombreuses pancartes signalant les pénuries comme : « *plus de beurre* » aux devantures des épiceries, ou bien : « *tabac réservé aux personnes prenant un repas* », sur les façades des cafés-restaurants.

— On ne devrait pas s'arrêter chez le fleuriste ? demanda Rosie.

M. Clarke posa sur sa fille un regard solennel.

— Je sais que je te l'ai promis, ma chérie, mais le cimetière est à quinze kilomètres, dans la direction opposée. Il faut qu'on fasse nos bagages et qu'on quitte Paris au plus vite.

— Mais… protesta Rosie, tristement. Si on ne peut plus revenir ? On ne reverra plus jamais la tombe de maman !

À l'arrière, Paul se figea, alors qu'il finissait d'empiler les feuilles. Les visites au cimetière le faisaient toujours pleurer. Son père aussi, et il restait devant la tombe pendant une éternité, même quand il gelait à pierre fendre. C'était horrible, et franchement, l'idée de ne plus y retourner le soulageait.

— Il ne s'agit pas d'abandonner ta maman, Rosie, dit M. Clarke. Elle nous accompagnera durant tout le trajet, de là-haut.

CHAPITRE TROIS

Marc était assis dans la cuisine de l'orphelinat, vêtu uniquement d'un short sale. M. Thomas, le directeur, lui avait ordonné de demeurer immobile, tête baissée, les mains bien à plat sur la grande table en bois. Son estomac gargouillait car deux jeunes religieuses faisaient cuire du pain dans les fours à bois, pendant qu'une énorme casserole de soupe de légumes bouillonnait sur la cuisinière.

Marc savait qu'il serait privé de dîner, aussi esquissa-t-il un sourire crispé quand sœur Madeleine déposa devant lui une petite assiette contenant du fromage, une saucisse et des légumes coupés en petits morceaux.

— Dépêche-toi de manger, chuchota-t-elle en lançant un regard vers la porte. Le directeur va me réprimander si jamais il nous surprend.

Reconnaissant, Marc s'empressa d'engloutir ce repas, sans mâcher, puis il repoussa l'assiette au bout de la table.

Si la jeune religieuse faisait preuve de compassion envers lui, les autres orphelins se montraient moins charitables. Des garçons s'arrêtaient à l'entrée de la cuisine pour lui tirer la langue, agiter le doigt d'un air menaçant et évoquer à voix basse la correction qui l'attendait, en prenant soin de préciser qu'il ne pourrait pas s'asseoir pendant une semaine. Dehors, devant les fenêtres, les plus jeunes mimaient des scènes de châtiment ou de pendaison, et même un peloton d'exécution, jusqu'à ce que la plus âgée des religieuses frappe au carreau et leur ordonne de laisser leur camarade tranquille.

Marc s'en fichait. Il n'avait toujours connu que l'orphelinat, où les persécutions étaient aussi naturelles que le fait de respirer. Se moquer d'un garçon qui allait recevoir une correction et essayer de le faire pleurer n'était qu'un des nombreux rituels que les orphelins avaient inventés pour se torturer. Marc, qui faisait partie des plus forts, avait lui-même infligé leur lot de souffrances aux plus faibles, et il avait appris à ne jamais montrer le moindre signe de faiblesse quand des plus grands ou des membres du personnel s'en prenaient à lui.

Mais il avait peur du directeur. En outre, l'affaire était grave : Jade Morel s'était retrouvée dans une fosse à purin, et le fait qu'il ne soit pas totalement responsable ne changeait rien. M. Thomas allait lui donner la correction de sa vie, du genre de celles qu'il réservait aux garçons qui volaient à la boutique du village ou s'enfuyaient de l'orphelinat.

Toutefois, si la peur enveloppait toutes les pensées de Marc, c'était sa dispute avec Jade qui lui faisait le plus mal. Certes, leurs relations étaient superficielles, mais grâce à l'amitié de cette jeune fille, il avait eu pour la première fois de sa vie le sentiment d'être autre chose qu'un orphelin qui pataugeait dans la bouse de vache.

Hélas! Jade l'avait traité de bien d'autres noms, plus affreux encore, quand elle était ressortie de la fosse, couverte de purin. Morel, le fermier, l'avait renvoyé aussitôt et menacé de lui arracher certaines parties sensibles de son individu avec un couteau mal aiguisé si jamais il approchait de sa fille ou de sa ferme.

La porte du bureau, de l'autre côté du couloir, s'ouvrit et le directeur, un homme solidement bâti, apparut en tenant par le cou un enfant de sept ans en pleurs prénommé Jean. D'un geste brusque, il envoya valdinguer le jeune garçon qui s'affala sur le dallage de la cuisine. Visiblement content de lui, il passa sa main sur son crâne chauve et luisant.

Sœur Madeleine regardait d'un air horrifié les zébrures écarlates dans le dos maigre du garçon.

— Badigeonnez de la teinture d'iode sur ses coupures, ma sœur, ordonna M. Thomas, pendant que Jean s'accrochait au bord de la table pour se relever. Toi, ajouta-t-il, si tu mouilles encore ton lit, tu dormiras dehors dans le poulailler.

— Oui, monsieur. Pardon, monsieur, répondit le garçon entre deux sanglots.

Le directeur haussa un sourcil et frappa dans ses mains en se tournant vers Marc.

— Après le hors-d'œuvre, le plat de résistance! dit-il gaiement en tendant le bras vers son bureau.

Marc connaissait bien le cérémonial des châtiments. C'était à cet instant qu'il imaginait des actes héroïques : il sortait un poignard de sa poche ou bien il s'emparait de la casserole sur le feu et lançait la soupe bouillante au visage du directeur. Mais une fois de plus, le courage lui fit défaut et il se dirigea d'un pas solennel vers le bureau qui sentait la cigarette et la transpiration.

M. Thomas était un colosse qui avait boxé dans la catégorie des poids moyens quand il était à l'armée. Avec les années, il avait engraissé, mais bien des jeunes de quinze ou seize ans avaient essayé de lui en « coller une », sans jamais avoir le dessus.

— Tiens-toi droit. Les pieds écartés, les mains le long du corps! aboya-t-il en claquant la porte de son bureau.

De l'autre côté du couloir, Jean poussait des cris de douleur pendant que la bonne sœur désinfectait ses plaies. Un autre plaisir en perspective pour Marc.

— Cela ne fait pas si longtemps que tu es venu dans ce bureau, Kilgour, dit le directeur. Mais cette fois, tu t'es surpassé.

Il sortit sa longue canne d'un porte-parapluies et promena un chiffon sur toute la longueur pour essuyer le sang de Jean. La canne s'achevait par un petit embout en métal afin de faire encore plus mal et le directeur la fit siffler dans les airs avant d'en enfoncer l'extrémité dans la narine de Marc pour l'obliger à relever le menton vers le plafond sinistre.

— Morel est un de nos voisins les plus respectables, grogna M. Thomas. Qu'est-ce qui s'est passé entre sa fille et toi ?

— Rien, répondit le garçon, alors que l'embout en métal s'enfonçait un peu plus dans sa narine.

— Dans ce cas, comment se fait-il que la pauvre fille se soit retrouvée dans une fosse à purin ?

— On a bavardé deux ou trois fois, c'est tout. On s'est un peu disputés et elle est tombée dans la fosse accidentellement. J'ai essayé de la retenir.

Le directeur sortit sa canne du nez de Marc et l'abattit sur son visage. Sous l'effet de la violence du coup et de la surprise, le garçon recula jusqu'à la porte en titubant, la main sur la joue. Il s'attendait à en baver, mais il n'avait jamais entendu dire que le directeur avait frappé quelqu'un au visage.

— Redresse-toi ! ordonna M. Thomas. Et ôte ta main de ta joue avant que je l'enlève moi-même !

— Bien, monsieur.

— Combien de fois devrai-je te corriger, Kilgour ?
demanda le directeur d'un ton hargneux, juste avant
qu'un deuxième coup de canne n'atteigne le flanc nu
de Marc, sous les côtes. J'en ai connu des lascars de
ton espèce. Des bons à rien, toujours à manigancer
des sales coups. Généralement, ils finissent au bagne
ou avec une balle dans la tête.

Après un troisième coup de canne, le directeur
coinça le garçon contre le bureau, la poitrine plaquée
sur le dessus en cuir craquelé.

— Alors, tu n'as rien à dire pour ta défense ?

Marc avait peur de la douleur, mais le directeur le
frappait régulièrement depuis qu'il avait cinq ans. Il
n'avait jamais demandé grâce et il n'avait pas l'intention de lui offrir ce plaisir.

— C'est dommage que j'aie perdu ce travail, dit-il.
Depuis que les autres garçons et moi on travaille pour
Morel, vous avez eu droit à une nouvelle bicyclette et
à deux costumes tout neufs.

Il s'attendait à ce que sa remarque déclenche des
coups de canne enragés, mais il y aurait droit de toute
façon et il était pressé d'en finir. Toutefois, au lieu de
se servir de sa canne, le directeur fit remonter son
genou entre les jambes de Marc, avec une telle violence que les pieds du garçon décollèrent du sol.

Il roula sur le bureau en gémissant, puis s'écroula
par terre. Son bras s'était pris dans le cordon du téléphone et l'appareil lui tomba dessus. Le talon de la
chaussure du directeur appuya sur son estomac.

— Tu vois où ça mène de faire le mariole ? railla M. Thomas, penché au-dessus du garçon et s'amusant à tester l'élasticité de sa canne. Tu n'es rien du tout, tu comprends ? Un chien procure une compagnie, un cochon donne de la viande, une poule pond des œufs, mais un orphelin, ça ne vaut rien.

La douleur dans le bas-ventre de Marc l'empêchait de respirer. Le directeur enleva son pied et se remit à frapper avec sa canne.

— Moi, je ne sens rien, ironisa-t-il tout en continuant à faire pleuvoir les coups.

Marc s'était roulé en boule. Son torse était couvert de traits rouges et la douleur jaillissait de vingt endroits différents.

Le directeur s'arrêta de frapper pour reprendre son souffle.

— Tu te prends pour un dur ? Je crois que je ne t'ai jamais vu pleurer.

Marc ôta ses mains de son visage et tenta de prendre un air provocant, mais il ne pouvait empêcher sa lèvre inférieure de trembler.

M. Thomas, lui, affichait un grand sourire.

— J'ai presque réussi à te faire flancher cette fois, hein, Kilgour ? Laisse-moi encore quelques minutes et tu sangloteras comme le petit Jean.

À cet instant, la porte du bureau s'ouvrit et sœur Madeleine entra précipitamment avec du pain et un bol de soupe sur un plateau.

— Vous n'avez pas appris à frapper ? rugit le directeur.

La jeune religieuse déposa le plateau en bois sur le bureau, bruyamment, comme un geste de défi.

— Soupe de légumes à la saucisse, annonça-t-elle, et elle se dirigea vers Marc, main tendue.

Le directeur était furieux.

— Que faites-vous ? Sortez !

La jeune religieuse fit semblant de ne pas entendre.

— Je vais nettoyer ses plaies, maintenant que vous avez fini.

M. Thomas lui lança un regard qui semblait mettre en doute la santé mentale de la jeune femme.

— Qu'est-ce qui vous permet de croire que j'en ai fini avec lui ? Je ne fais peut-être que commencer.

— Marc a reçu *suffisamment* de coups, monsieur le directeur, répondit-elle en essayant de paraître déterminée, mais sa peur était palpable.

Marc roula sur lui-même et se redressa en position assise. Le directeur se planta devant lui.

— Je suis dans *mon* bureau, dans *mon* orphelinat, dit-il d'une voix tonitruante. Je traite ces garçons comme bon me semble, et si vous ne regagnez pas immédiatement la cuisine, je signalerai votre comportement à l'évêque !

La jeune religieuse serra les poings.

— Soit, rétorqua-t-elle. Et quand je serai devant l'évêque, je n'oublierai pas de lui parler des costumes neufs et de la bicyclette. Mais je suis sûre que vous pourrez lui donner le détail de toutes les sommes d'argent versées par M. Morel.

Cramoisi, le directeur se cabra et lança violemment sa canne dans le porte-parapluies.

— Emmenez ce vaurien, grommela-t-il.

— Merci, monsieur le directeur, dit la religieuse en aidant Marc à se relever. J'espère que la soupe vous plaira, monsieur.

Marc se mordit la lèvre, bien décidé à cacher sa souffrance. Il savait qu'il devait une fière chandelle à sœur Madeleine, mais il était bien trop énervé pour parler, tandis qu'elle l'entraînait dans le couloir jusqu'à une petite chambre dotée d'un lavabo, qui faisait office d'infirmerie.

Des garçons jouaient dehors. La sœur s'empressa de refermer la porte et de tirer le rideau avant qu'ils puissent se moquer de l'état de leur camarade. Marc s'assit au bord du petit lit – ironie du sort, son postérieur était le seul endroit intact de son corps – pendant que sœur Madeleine imbibait un linge d'eau froide. Elle lui adressa un sourire rassurant en s'asseyant près de lui pour essuyer le sang sur sa joue.

— Merci pour... dit Marc, mais il dut s'arrêter avant que sa voix ne se brise.

— Inutile de jouer les fiers, dit la religieuse, tandis que des filets d'eau rosée coulaient sur le visage du garçon. Nous sommes tous humbles devant Dieu.

— Je ne voulais pas jouer un sale tour à Jade, dit Marc en étouffant un sanglot. Elle était... On riait bien ensemble. Maintenant, je ne la reverrai plus jamais...

Il posa sa tête sur le tablier maculé de farine de sœur Madeleine et pleura sans retenue. Elle aurait voulu le serrer contre elle pour le réconforter, mais il avait des plaies partout et elle ne voulait pas le faire souffrir davantage.

CHAPITRE QUATRE

Mme Mujard, debout à l'entrée d'un immeuble de quatre étages, essayait de tirer une dernière bouffée de son mégot. Concierge à cette adresse depuis plus de trente ans, la vieille femme avait beaucoup de mal à se déplacer désormais, à cause des treillis de varices qui lui servaient de jambes.

Elle dressa les sourcils quand elle vit la Citroën de M. Clarke se garer de l'autre côté de la rue et elle regagna sa loge en traînant la patte au moment où Rosie et Paul entraient dans le hall.

— Bonjour, madame ! lança gaiement Paul. Y a du courrier ?

Mme Mujard prit trois enveloppes dans un des casiers qui se trouvaient derrière elle. Paul lui tendit son Toblerone.

— Chocolat ? demanda-t-il.

La vieille dame secoua la tête.

— C'est mauvais pour mes dents.

Elle se tourna vers M. Clarke qui venait d'apparaître dans le hall, sa mallette à la main.

— J'ai des nouvelles pour vous, annonça la concierge d'un ton lugubre.

Mme Mujard avait toujours des nouvelles. Il pouvait tout aussi bien s'agir de l'arrivée d'un nouveau locataire que d'une baignoire trop remplie qui avait provoqué une inondation à l'étage du dessous. Mais dernièrement, toutes les nouvelles de Mme Mujard concernaient des locataires qui faisaient leurs bagages pour quitter la capitale.

— Je serais ravi d'échanger quelques ragots avec vous, dit M. Clarke, mais nous partons dans le sud. Je veux prendre la route le plus vite possible.

— Il s'agit de votre appartement, monsieur.

Mme Mujard ne livrait jamais ses informations d'un seul coup. Elle avait remarqué que les gens étaient plus enclins à s'attarder pour bavarder quand on savait les appâter.

— Mon appartement ? répéta M. Clarke.

Paul et Rosie, qui avaient déjà atteint le pied de l'escalier, s'arrêtèrent.

— Oui, monsieur, dit la concierge en hochant la tête d'un air sombre, sans en dire plus.

M. Clarke s'impatientait.

— Eh bien, qu'y a-t-il ?

— La police.

Ce seul mot suffit à faire revenir Paul et Rosie vers la loge.

— Que nous veut la police ? demanda Rosie.

Mme Mujard haussa les épaules et M. Clarke frappa contre la porte de la loge, du plat de la main, ce qui fit sursauter la vieille femme. Les deux enfants n'en revenaient pas. Leur père était habituellement un homme doux. Aucun doute, il n'était pas lui-même aujourd'hui.

— J'ai deux enfants, dit-il d'un ton presque suppliant. Il faut que je leur fasse quitter Paris. Alors, si vous avez des informations, dépêchez-vous de parler.

Mme Mujard parut offusquée.

— Pas la peine de crier, répondit-elle tout en se réjouissant secrètement de cet emportement. Trois inspecteurs en civil sont venus. Ils m'ont demandé où vous étiez et ils avaient un mandat pour fouiller votre appartement.

M. Clarke consulta sa montre.

— Il y a combien de temps ?

— Deux ou trois heures. Je leur ai expliqué que vous étiez représentant de commerce et que vous vous trouviez soit à votre bureau soit sur la route.

M. Clarke jeta un regard inquiet en direction de sa voiture dehors, puis à ses enfants.

— Nous devons quitter Paris immédiatement.

Il agrippa Paul par le bras et l'entraîna vers la rue.

— Hé, qu'est-ce qui se passe ? demanda le garçon, affolé. Pourquoi est-ce que la police te recherche ?

— Je ne pense pas qu'elle me recherche, répondit M. Clarke de manière sibylline. Je vous expliquerai tout dans la voiture.

Rosie protesta.

— Maintenant qu'on est ici ! Je n'ai pas de vêtements de rechange, ni de brosse à dents, ni…

Son père réfléchit un court instant. Un long et
pénible voyage les attendait, et nul doute que le fait
de pouvoir se changer et d'emporter quelques affaires
personnelles le rendrait plus tolérable.

— Oui, tu as sûrement raison, dit-il en regardant
sa fille.

Après avoir remercié Mme Mujard pour ce renseignement, il s'élança dans l'escalier étroit en gravissant
les marches deux par deux, jusqu'au troisième étage.

— Il faut qu'on soit partis d'ici dans cinq minutes,
ajouta-t-il. Ne prenez que le strict minimum : des
vêtements, des affaires de toilette et des objets per-
sonnels. Je ne veux pas que la voiture soit remplie de
jouets et de cochonneries.

Tous les trois étaient essoufflés en arrivant devant
leur appartement. Mme Mujard ayant ouvert aux policiers, la porte n'avait pas souffert, mais tout était sens
dessus dessous. Les tiroirs avaient été vidés sur le sol,
un lampadaire renversé, un des canapés couché sur le
dossier et le fond éventré d'un coup de couteau pour
voir s'il y avait quelque chose à l'intérieur.

Paul était sous le choc. Rosie se pencha pour ramasser les morceaux d'une assiette en porcelaine ayant
appartenu à leur arrière-grand-mère.

— Ne t'occupe pas de ça ! aboya M. Clarke en prenant sa fille par le bras pour la relever. Ces hommes

n'étaient pas de la police… Je vous ai dit que je vous expliquerais plus tard. Pour l'instant, faisons notre valise et filons.

Il poussa Rosie vers sa chambre, puis se rendit dans la cuisine, dont il ouvrit tous les placards à la recherche de provisions pour le voyage. Paul se dirigea vers sa chambre, mais il songea qu'il devait prendre ses précautions avant de se mettre en route, alors il effectua un détour par la salle de bains et s'enferma.

Sa mère lui manquait et cette pièce fit renaître son souvenir. Il se revoyait en train de patauger dans la baignoire avec Rosie, quand ils étaient petits ; il avait toujours été fasciné par les parfums, les produits de maquillage de sa mère et ce gros bocal rempli de boules de coton. Une moitié de l'étagère était affreusement vide désormais. Il essaya de chasser ces images de son esprit pendant qu'il baissait son caleçon gris et essayait de faire pipi.

— Réflexion faite, vous feriez bien de vous changer tous les deux ! cria M. Clarke du salon. Vos uniformes de collégiens font trop anglais. Il est préférable de ne pas se faire remarquer.

Paul se lava les mains et alors qu'il ressortait de la salle de bains en passant sa chemise par-dessus sa tête, il rentra dans sa sœur qui se dirigeait vers la porte avec une valise pleine de vêtements.

— Regarde où tu vas, idiot ! s'écria-t-elle en le poussant contre le mur.

Bêtement, Paul n'avait pas pris la peine de défaire ses boutons de chemise et l'un d'eux sauta au moment où il entrait dans sa chambre en titubant, sans rien voir. Il lança sa chemise sur le lit, puis regarda rapidement autour de lui, en se demandant ce qu'il allait emporter. Finalement, il opta pour le réveil qu'il avait eu pour Noël, tous ses vêtements — il ne possédait que deux pantalons et trois chemises — et le maximum de matériel de peinture et de dessin qu'il pensait pouvoir prendre sans provoquer la colère de son père.

Mais pour emporter tout cela, il avait besoin d'aller chercher une des valises de son père, dans la chambre. Il se retourna vivement. Quelle ne fut pas sa surprise de voir un homme jaillir de derrière sa porte !

Paul voulut hurler, mais une main se plaqua sur son visage. Sentant un doigt s'introduire dans sa bouche, il le mordit avec force. L'homme étouffa un cri de douleur, mais cela ne l'empêcha pas de pousser Paul sur le lit et d'appuyer le canon d'un pistolet sur son nez.

— Pas un bruit ou tu es mort.

L'homme s'exprimait dans un français correct, mais sans erreur possible son accent était allemand.

CHAPITRE CINQ

Marc partageait un vieux grenier avec vingt autres orphelins. Leurs lits superposés, en métal, étaient collés les
uns aux autres, à tel point que les garçons qui dormaient
tout au bout de la rangée devaient ramper sur tous les
matelas afin d'atteindre ou quitter leur couche. Pour
couronner le tout, M. Thomas avait fait clouer l'unique
fenêtre, après qu'un garçon avait dégringolé dehors au
cours d'une bagarre générale, et l'absence d'air frais
faisait régner dans le dortoir un parfum qu'on ne risquait pas de trouver dans une boutique parisienne.

Quand sœur Madeleine l'eut rafistolé, Marc sécha
ses larmes et gravit péniblement les trois étages. Il avait
distribué un certain nombre de coups de poing et fait
saigner plusieurs nez pour avoir le privilège de dormir
en haut, mais son corps meurtri le fit grimacer quand
il dut se hisser sur son lit. Malgré la chaleur, la douleur
et le vacarme d'un groupe de gamins qui s'amusaient
à sauter entre les matelas du bas, Marc était tellement
épuisé qu'il s'endormit presque aussitôt.

Un pensionnaire corrigé par le directeur n'avait pas le droit de manger jusqu'au lendemain matin. Ayant dormi durant tout le début de soirée, Marc se réveilla sur les coups de vingt et une heures, avec une épouvantable migraine et tiraillé par la faim. Autour de lui, ses camarades se déshabillaient bruyamment pour se coucher.

La plupart avaient joué dehors et, comme il faisait trop chaud pour mettre un pyjama, le dortoir grouillait de membres luisants de sueur et résonnait de voix stridentes qui commentaient le résultat du match de foot. Quelques-uns des plus petits, habitués à ignorer le bruit, dormaient déjà.

Deux pieds puants étaient posés au bord du matelas de Marc, à cinq centimètres de son visage. Il voulut se redresser pour les repousser, mais il gémit de douleur lorsque le sang coagulé dans son dos resta collé au drap.

— Hé, regardez qui est réveillé ! s'écria le propriétaire des pieds malodorants.

Et avant que Marc comprenne ce qui se passait, une meute humaine escalada les cadres de lit grinçants. Jacques, un garçon de neuf ans qui dormait juste en dessous, se dressa sur le bord de son matelas et fut le premier à découvrir le dos de Marc.

— La vache ! s'exclama-t-il.

Six autres garçons essayaient de passer derrière Marc ou lui criaient de se retourner pour qu'ils puissent voir ses blessures.

— Ça fait mal ? demanda Jacques en appuyant le bout de son doigt sur une des plaies.

— Dégage ! rugit Marc. Si tu recommences, je t'en colle une !

Mais il aimait bien son jeune camarade de lit superposé et Jacques savait que c'était une menace en l'air.

Entre-temps, quelqu'un avait soulevé la couverture tachée qui cachait les jambes de Marc, faisant apparaître la blessure la plus impressionnante : une profonde entaille, à l'endroit où l'embout en métal de la canne avait arraché la chair de la cuisse.

— C'est moche, commenta quelqu'un, tandis que les autres reculaient.

— Vous avez vu la marque du talon de Thomas sur son ventre ? fit remarquer un deuxième orphelin. Il t'a sacrément amoché, dis donc ! Qu'est-ce que tu avais fait ?

— Laisse tomber, grogna Marc en remontant sa couverture d'un geste brusque.

Mais il avait devant lui six garçons curieux et il savait qu'ils ne le laisseraient pas en paix tant qu'il ne se serait pas expliqué.

— C'est vrai que tu bécotais Jade Morel ? demanda l'un d'eux.

Marc avait affreusement mal à la tête, mais s'il affichait le moindre signe de faiblesse, les autres le mettraient en pièces.

— Exact, répondit-il en se forçant à sourire. Elle s'est jetée sur moi. J'avais les mains sur ses nichons et tout ça.

— Sacré veinard ! lança un garçon plus âgé.

Mais Lanier, l'ennemi juré de Marc, était bien décidé à le faire descendre de son piédestal. Il existait chez les garçons un ordre hiérarchique et chacun se comportait en conséquence. Le problème, c'était que Marc et Lanier convoitaient la même place. Ils avaient le même âge, le même physique trapu, et il en résultait une intense rivalité qui datait de la petite enfance, lorsqu'ils se battaient pour des jouets.

— Jade Morel n'a même pas de nichons, lâcha Lanier.

— Qu'est-ce que tu en sais ? rétorqua Marc.

— J'ai parlé à Denis quand il est rentré des champs. Il m'a raconté que tu étais devenu dingue et que tu avais balancé Jade dans la fosse à purin.

La tentative de Lanier pour rabaisser Marc en l'accusant de mentir quand il prétendait avoir bécoté une fille aurait fonctionné avec des adolescents, mais le public de Marc était plus jeune, et à leurs yeux, balancer une fille dans une fosse à purin, c'était bien plus fort que de l'embrasser.

— Ça valait le coup de recevoir une correction, déclara Jacques, toujours loyal. Les plaies, ça guérit ; les légendes sont éternelles !

Les autres approuvèrent. Lanier était furieux.

— Attends un peu, Marc, dit-il en agitant son index. Le directeur va te trouver un nouveau boulot. Et ce sera bien pire !

Jacques lui lança un regard chargé de mépris.

— Qu'est-ce qu'il y a de pire que de nettoyer la bouse de vache ?

— J'en sais rien, répondit Lanier sur la défensive, le visage empourpré par la colère.

Sentant qu'il était en train de perdre la bataille, il se laissa glisser dans l'espace étroit entre deux matelas et battit en retraite vers son lit situé tout au bout du dortoir.

Pendant ce temps, un garçon efflanqué de quatorze ans, prénommé Gérard, avait fait son entrée. Il s'était arrêté près de la porte du dortoir pour délacer ses bottes crottées. Il était le seul parmi les plus grands à dormir encore en bas. Il était jaloux de Marc, mais trop faible pour le défier physiquement.

— Vous devinerez jamais ce que j'ai vu, les gars ! lança-t-il à la cantonade d'un ton sarcastique. Le directeur m'avait demandé de réparer la clôture de devant, là où un camion militaire l'a enfoncée. Ensuite, je suis rentré pour ranger les outils. Dans ce petit placard sous l'escalier, vous savez, en face de l'infirmerie.

Il y eut des hochements de tête et des « oui ». Marc avait deviné la suite.

— Eh bien, j'ai entendu le *petit* Marc avec sœur Madeleine ! dit joyeusement Gérard. Il pleurait à chaudes larmes. « *Oh, sœur Madeleine, je suis triste. Je déteste cet endroit. Jade était vraiment gentille et différente. Personne ne m'aime. Je n'en peux plus. J'ai envie de m'enfuir. Bouh, bouh, bouh !* »

Quelques rires gênés fusèrent et les regards se tournèrent vers Marc.

— Tu n'es qu'un sale baratineur! lança celui-ci. Peut-être que j'ai gémi un peu quand elle a mis de la teinture d'iode sur mes plaies, mais j'ai pas pleuré.

— Pourtant, c'est vrai qu'on aurait dit que tu avais pleuré, quand je t'ai croisé dans l'escalier, fit remarquer Jacques.

— *Je veux m'en aller d'ici!* singea Gérard. *Je suis un bon à rien. Je ne supporte plus ma vie.*

Marc voyait bien qu'une grande partie de l'auditoire croyait la version de Gérard et la pression qui pesait sur lui était comme un étau qui lui broyait le crâne. En temps normal, il aurait réglé le problème en écrasant son poing sur le nez de Gérard, mais là, il n'était même pas certain de pouvoir tenir debout.

Comme si ça ne suffisait pas, Lanier, qui sentait que Marc était en position de faiblesse, porta l'estocade.

— Tu es une vraie gonzesse, Kilgour! déclara-t-il en marchant rapidement vers le lit de Marc. Tu te souviens à Pâques, la dernière fois que Thomas t'a frappé à coups de canne? Tu pleurais presque. Et tu n'arrêtais pas de raconter que tu allais te venger, que tu allais t'enfuir d'ici. Mais il ne s'est rien passé, car tu n'es qu'un beau parleur.

— J'ai pensé à m'enfuir, dit Marc. Et peut-être que je le ferai un jour, on ne sait jamais.

— Arrête ton char ! répliqua Lanier. Continue donc à pleurnicher dans les bras de sœur Madeleine.

Tous les garçons s'esclaffèrent, à l'exception de Marc et de son fidèle compagnon de lit superposé.

— On a tous eu envie de s'enfuir d'ici, dit Jacques. Mais ça ne sert à rien. Tous ceux qui essayent se font rattraper. Ensuite, Thomas les corrige et les met au pain sec et à l'eau.

— Je sais bien, dit Lanier. Mais ce qui m'énerve, c'est que Marc n'arrête pas d'en parler, comme s'il était plus fort que tout le monde.

— Tu as du pot que je sois blessé, Lanier ! Tu te souviens quand tu étais couché dans l'herbe et que tu me suppliais pour que j'arrête de te tabasser ?

— On va régler ça maintenant ! lança Lanier en enjambant les matelas.

Quelques huées s'élevèrent. Jacques résuma le sentiment général en disant :

— Même moi je pourrais flanquer une raclée à Marc dans l'état où il est.

Toutefois, les autres garçons s'écartèrent pour laisser passer Lanier qui rampait sur les matelas du haut. Finalement, il s'agenouilla devant les quelques centimètres de vide qui séparaient le lit de Marc de son voisin, les poings serrés. Marc n'était pas en état de se battre, mais Lanier, lui, n'était pas d'humeur à se montrer charitable.

Au moment où il allait assener un premier coup de poing, Marc décocha un coup de pied. Celui-ci était suffisamment fort pour déséquilibrer Lanier. Simultanément, Marc agrippa le cadre de son lit et balança le poids de son corps d'un côté, si bien que le lit se souleva et se déplaça de quelques centimètres.

Ce n'était pas grand-chose, mais suffisant pour faire chuter Lanier qui bascula lamentablement dans l'espace entre les lits. Ses genoux heurtèrent le plancher avec un bruit sourd.

— Je te tuerai! brailla-t-il en se relevant, tandis que Jacques, apeuré, plongeait sur le côté.

Marc décocha un nouveau coup de pied en visant la tête de son adversaire, mais son attaque manquait de force et, avant qu'il ne comprenne ce qui lui arrivait, Lanier avait saisi sa cheville et la lui tordit douloureusement, puis le fit tomber sur le lit de Jacques.

— Tu es à ma merci, maintenant! dit-il avec un grand sourire, en le chevauchant.

S'il avait été en pleine possession de ses moyens, Marc l'aurait délogé sans peine, mais tout son corps était endolori par les coups de canne et, sans qu'il puisse réagir, Lanier lui cloua les épaules sur le matelas avec ses genoux.

— Alors, tu fais quoi maintenant?

Son poing s'abattit sur le nez de Marc.

Celui-ci avait beau se débattre, il n'arrivait pas à se dégager, tandis que les coups continuaient à pleuvoir.

— Laisse-le! cria Jacques en tentant courageusement de repousser Lanier.

C'est alors que le grenier sembla se mettre à vibrer, tandis qu'au-dehors, une sorte de vrombissement s'amplifiait. Les plus curieux se précipitèrent vers la fenêtre et Lanier fut distrait. Marc en profita pour ramener ses genoux contre sa poitrine et parvint à dégager un bras.

Une rafale de mitrailleuse balaya la façade de l'orphelinat, suivie d'une violente explosion sur la route.

— Un bombardier Stuka ! s'écria quelqu'un.

Tout le bâtiment trembla, tandis que Marc et Lanier se séparaient en roulant sur le flanc. Les autres garçons étaient massés devant la fenêtre pour regarder dehors.

— Il est en feu ! Il fonce droit sur nous !

Hébété, Marc regarda les orphelins affolés se faufiler entre les lits pour se précipiter vers l'escalier, déjà envahi d'enfants du dortoir voisin qui avaient réagi plus promptement. Le toit continuait à trembler et de la poussière tombait des solives, au-dessus de la tête de Marc.

Des cris retentirent dans l'escalier bondé et les lampes à huile accrochées dans le couloir tanguèrent violemment lorsque la charpente de l'orphelinat se déplaça d'une cinquantaine de centimètres, provoquant la chute de plusieurs garçons terrorisés.

Après quelques secondes dans l'obscurité complète, Marc regarda autour de lui et constata qu'il était le dernier dans le dortoir, à l'exception d'un enfant de trois ans en larmes qui venait du dortoir voisin, désorienté par la panique.

— Par ici, mon petit gars, dit Marc en soulevant l'enfant dans ses bras endoloris pour avancer pas à pas dans l'obscurité, en direction du chaos qui régnait dans l'escalier.

Des garçons étaient tombés les uns sur les autres, et le palier disparaissait sous un enchevêtrement de bras et de jambes que piétinaient d'autres orphelins essayant de fuir.

Le bâtiment tangua de nouveau, et cette fois, plusieurs vitres volèrent en éclats. Le bruit de verre brisé fut immédiatement suivi d'une colossale détonation et d'une vague de chaleur et de lumière qui assécha totalement l'air. Les doigts du jeune enfant s'enfoncèrent dans les plaies qui zébraient le dos de Marc, alors que les lampes à huile s'éteignaient et qu'une brume grisâtre montait dans la cage d'escalier.

CHAPITRE SIX

Paul hocha la tête en signe d'obéissance et leva les mains pour indiquer qu'il se rendait.

— Très bien, dit l'Allemand avec un sourire glacial.

C'était un homme mince aux petits yeux noirs. Il empestait la lotion avec laquelle il lissait ses cheveux en arrière.

— Vous êtes combien dans la maison ?

— Trois, marmonna Paul.

— Qui sont les autres ?

— Mon père et ma sœur.

— Ton père est bien Digby Clarke ?

Paul acquiesça, alors que l'Allemand l'autorisait à se lever, tout en gardant l'arme pointée sur son visage.

— Demande à ton père de venir. Si tu tentes quoi que ce soit, je te tire une balle dans la tête.

— Papa !

L'appel de Paul sembla n'avoir aucun effet. L'Allemand plissa les yeux.

— Recommence.

— Papa ! cria Paul, au bord des larmes. Il faut que tu viennes tout de suite !

Mais ce fut Rosie qui entra.

— Papa est occupé. Qu'est-ce qui t'arrive, l'avorton ?

Puis elle vit l'homme au pistolet et se mit à hurler.

— Silence ! aboya l'Allemand.

— Vous n'avez pas un peu fini de vous disputer, tous les deux ? s'exclama M. Clarke dans le couloir. Je commence à en avoir assez de…

— N'entre pas ! lui cria Rosie, et l'Allemand braqua aussitôt son arme sur elle.

Mais M. Clarke franchit le seuil avant même que Rosie ait achevé sa phrase. Sa colère céda la place à la stupeur.

— Ce vieux Digby, quel plaisir ! dit l'Allemand avec un large sourire, en passant du français guttural à un épouvantable anglais. Je crois que nous nous sommes déjà rencontrés, dans le bureau de M. Mannstein.

— Brièvement, en effet, répondit Clarke en essayant d'adopter un ton décontracté pour rassurer ses enfants.

— Où sont les documents que vous avez volés au gouvernement allemand ?

M. Clarke haussa les épaules d'un air innocent.

— Je crois que vous me prenez pour quelqu'un d'autre.

— Oh, vraiment ? dit l'Allemand en pointant le canon de son arme sur la chaussure de Paul. Peut-être retrouverez-vous la mémoire une fois que votre fils aura un trou dans le pied.

Paul n'était pas un garçon exceptionnellement courageux et il avait l'impression que quelqu'un lui triturait violemment l'estomac.

— J'ai rapporté tous les documents ici, dit M. Clarke. Ils sont dans ma mallette.

— Parfait. Montrez-les-moi, dit l'Allemand, ravi. Mais gardez vos mains bien en évidence.

M. Clarke recula dans le couloir pour se diriger vers le salon.

— Suivez votre père, vous deux, ordonna l'Allemand en indiquant la porte avec le canon de son arme.

Paul se sentait affreusement petit en marchant vers le salon. M. Clarke prit sa mallette sur le tapis et la posa sur une petite table. Rosie s'approcha d'un grand canapé et l'Allemand, d'un signe de tête, l'autorisa à s'y asseoir. Paul s'installa à l'autre extrémité.

Pendant ce temps, leur père avait fait sauter les fermoirs de la mallette.

— Ne l'ouvrez pas! aboya l'Allemand, nerveux. Tournez-la vers moi et mettez une main sur la tête.

Paul remarqua que la main de sa sœur glissait lentement vers le secrétaire de leur père. Il craignait qu'elle intervienne et se fasse tuer; il aurait préféré qu'elle reste tranquille et fasse ce qu'on lui demandait, pour une fois.

— Maintenant, dit l'Allemand en s'adressant à M. Clarke, avec votre autre main, ouvrez la mallette. *Lentement.*

M. Clarke obéit et l'homme s'avança en souriant. Paul vit que la mallette était remplie de chemises en papier kraft, semblables à celles qu'il avait empilées à l'arrière de la voiture.

L'Allemand garda son arme pointée sur M. Clarke. Son sourire se fana lorsqu'il passa les chemises en revue.

— Il n'y a pas de plans ! Où sont les autres documents ?

M. Clarke prit un air étonné.

— C'est tout ce que j'ai. Je ne sais pas de quels plans vous parlez.

L'Allemand fit pivoter le canon de son pistolet et s'écria :

— Lequel de vos enfants voulez-vous que je tue en premier ?

Paul regarda ses genoux en plaquant un coussin contre lui. Mais Rosie lança un regard de défi à l'Allemand. Celui-ci ajouta :

— Lorsque je vous aurai tués, votre fils et vous, mes collègues et moi, on pourra peut-être s'amuser avec votre fille. Elle semble pleine d'entrain !

M. Clarke ne réagit pas à cette menace ; il essaya de paraître sincère.

— Je vous assure, monsieur, je n'ai pas d'autres documents.

— Menteur !

À cet instant, la porte de l'appartement, qui était restée entrebâillée, s'ouvrit en grinçant.

Une voix frêle demanda :

— Monsieur Clarke ? J'ai entendu des cris…

Le pistolet rugit et Paul hurla lorsque la balle atteignit Mme Mujard au visage, la tuant sur le coup. Le projectile ressortit par l'arrière de son crâne et alla se nicher dans le mur du couloir, accompagné d'éclats d'os et de cervelle.

L'Allemand eut un moment d'hésitation en découvrant qu'il venait de tuer une vieille femme et Rosie sauta sur l'occasion. Bondissant du canapé, elle lui enfonça un coupe-papier juste sous les côtes. L'Allemand trébucha vers l'avant et s'affala sur la mallette. M. Clarke lui saisit le bras et lui arracha son arme.

— Rosie, la mallette ! lança-t-il en tordant le bras de l'homme dans son dos.

Une fois la mallette à l'abri, il appuya le canon de l'arme contre l'omoplate gauche de l'Allemand et tira. Après avoir transpercé la poitrine, la balle se ficha dans le pied unique de la table, qui se brisa. Quand l'Allemand s'écroula sur le tapis, M. Clarke recula en tenant son arme à bout de bras et tira à nouveau, dans la tempe cette fois.

— Une balle dans le cœur, une autre dans la tête, commenta-t-il.

Il souleva le coin du tapis et le lança sur le corps. Puis il se tourna vers Rosie et s'efforça de sourire.

— Tu as été formidable, ma chérie. Tu nous as sauvés.

Mais Rosie avait les larmes aux yeux et Paul s'accrochait à son coussin comme si sa vie en dépendait. Rien jusqu'à présent dans leurs vies ne les avait préparés à tout cela : du sang partout et deux cadavres dans le salon.

— Qu'est-ce qui se passe, papa ? sanglota Rosie en secouant la tête d'un air hébété. Qu'est-ce qui vient de se passer ?

— Je vous expliquerai dans la voiture, répondit son père d'un ton sec.

Il ne voulait pas paraître trop brutal, mais il ne savait pas comment gérer cette situation.

— Vous me faites confiance tous les deux, non ? Vous savez que je n'aurais pas tué un homme si ça n'avait pas été absolument nécessaire ?

Rosie hocha la tête, mais Paul demeura muet ; ses lèvres viraient au bleu.

— Ressaisis-toi, fiston ! ordonna son père en lui arrachant son coussin des bras pour le secouer par les épaules.

— Et maintenant ? demanda Rosie, pendant que leur père traînait le corps de Mme Mujard à l'intérieur de l'appartement, avant de fermer la porte.

— Il faut filer d'ici, déclara-t-il. Si quelqu'un a entendu les coups de feu, il va prévenir la police. Dépêchez-vous d'aller chercher vos affaires dans vos chambres. On part dans deux minutes.

— Je suis couverte de sang ! protesta la fillette. Il faut que je me lave.

M. Clarke poussa un grognement, tandis qu'il glissait le revolver de l'Allemand sous sa veste et se dirigeait vers le secrétaire.

— Je ne sais pas ce que tu en penses, Rosie, mais je n'ai aucune envie d'être enfermé dans une cellule au poste de police quand l'artillerie allemande va bombarder la ville. Alors, débarbouille-toi vite fait. Une fois que tu auras récupéré tes affaires, il y a un sac en papier avec des provisions sur la table de la cuisine, n'oublie pas de le prendre avant de partir. Mon sac de voyage est déjà dans la voiture, mais je veux que tu ailles dans ma chambre pour chercher mes boutons de manchette en or et le coffret à bijoux de ta mère.

— D'accord, répondit Rosie, mais elle paraissait un peu contrariée et elle frotta ses yeux humides. Tu ne m'aides pas ?

Son père secoua la tête, la main au-dessus du téléphone.

— Il faut que j'appelle un collègue. Il a des relations dans la police parisienne ; avec un peu de chance, il pourra étouffer cette affaire.

Pendant que les enfants couraient se changer et finir leurs valises, M. Clarke demanda à une opératrice de le mettre en communication avec l'ambassade de Grande-Bretagne.

— Standard de l'ambassade, j'écoute, dit la femme à l'autre bout du fil.

— Je souhaiterais parler à Charles Henderson, de la section E. Je suis monsieur Clarke.

63

— Je suis désolée, sir, mais monsieur Henderson n'est plus à l'ambassade et je ne pense pas qu'il reviendra. Les seules personnes qui n'ont pas encore été évacuées sont l'ambassadeur, deux attachés militaires et moi-même.

— Enfer et damnation ! pesta M. Clarke. Et la secrétaire de monsieur Henderson, Miss McAfferty ? Pouvez-vous me donner son nouveau numéro à Londres ?

— Je pourrais sans doute le trouver, mais je doute que cela serve à quelque chose. Toutes les liaisons entre la France et la Grande-Bretagne sont coupées depuis hier après-midi. Nous communiquons uniquement par radio.

M. Clarke était exaspéré.

— Très bien, lâcha-t-il. Si jamais vous voyez monsieur Henderson, dites-lui qu'il y a eu un petit incident chez moi, mais que je pars pour le sud comme prévu.

— Il est peu probable que je le voie, mais je ferai tout mon possible, répondit la standardiste. Bonne journée, monsieur.

— Prenez soin de vous, dit M. Clarke avant de raccrocher. Venez, les enfants ! cria-t-il. Tous à vos postes !

Quelques secondes plus tard, Paul sortit de sa chambre vêtu d'une chemise et d'un pantalon long qui lui donnaient l'apparence d'un parfait jeune Français. Il serrait contre lui une petite valise et un cartable bourré de bandes dessinées et de matériel de dessin. Il semblait encore sous le choc, et s'ils avaient eu le temps, M. Clarke l'aurait pris dans ses bras pour le réconforter.

— On va s'en sortir, champion, dit-il en ébouriffant les cheveux de son fils, conscient de l'incongruité de son geste.

Rosie émergea de la cuisine avec le sac de provisions.

— J'ai fourré toutes nos affaires propres dans la grande valise, mais elle est trop lourde pour que je la porte dans l'escalier. J'ai aussi pris l'album-photos et ton appareil, papa.

— Bonne idée.

M. Clarke lui sourit et fit signe à ses enfants de se diriger vers la porte, avant de prendre sa mallette dans une main et la grande valise dans l'autre.

Paul passa le premier, en évitant soigneusement de regarder les deux corps ensanglantés qui gisaient à un mètre de ses pieds.

Rosie vivait dans cet appartement depuis l'âge de cinq ans. C'est avec un profond sentiment de tristesse qu'elle referma la porte, sans doute pour la dernière fois.

Paul sortit enfin de son mutisme ; alors qu'il s'élançait à la poursuite de son père et de sa sœur dans l'escalier étroit, il demanda :

— Dis, papa, tu es un espion ou quoi ?

CHAPITRE SEPT

On déplora quelques bleus, une ou deux entorses, et une religieuse coincée sous plusieurs garçons empilés sur le palier s'en sortit avec un bras cassé, mais l'orphelinat avait survécu après avoir frôlé la destruction. Le bombardier allemand avait effleuré le toit, fracassé les tuyaux de cheminée et déboîté une partie des briques. En dégringolant dans les conduits, les gravats avaient fait jaillir dans les âtres des nuages de poussière et de cendre qui avaient envahi toute l'aile est de la maison.

En hiver, les braises rougeoyantes se seraient répandues sur les planchers mais, fort heureusement, on était en été. Les cheminées étaient éteintes et les seules flammes provinrent d'une lampe à pétrole qui s'était décrochée du mur. Le début d'incendie fut rapidement éteint par deux garçons à l'esprit vif qui l'étouffèrent avec un matelas.

Marc et son tout jeune compagnon furent parmi les derniers à émerger des cendres et de la poussière. En toussant, ils débouchèrent dans un coucher de soleil rendu encore plus saisissant par les tours de flammes qui s'élevaient à l'horizon, dans deux directions.

Le Stuka allemand faisait partie des centaines d'avions qui sillonnaient le ciel cette nuit-là, au-dessus de la campagne, à la recherche des convois transportant des soldats français et du matériel. Après avoir manqué dc percuter l'orphelinat, l'aéroplane en détresse avait détruit la grange voisine, mettant le feu aux réserves de légumes et aux cages à poules qui se trouvaient à l'intérieur. Finalement, il s'était écrasé dans un champ et avait fini sa course en creusant un profond sillon, avant quc lcs flammes fassent exploser sa cargaison de bombes, incinérant le pilote et projetant dans les airs des tonnes de terre. Tous les bâtiments situés à un kilomètre à la ronde avaient tremblé.

À cent mètres de là brûlaient deux camions français bombardés par le Stuka, et un troisième avait perdu son essieu arrière après avoir décollé du sol de plusieurs mètres sous la violence de l'explosion.

Des soldats, dont certains grièvement brûlés, marchaient dans le pré en titubant, pendant que des religieuses et quelques garçons, parmi les plus âgés, se précipitaient à leur secours. Les plus jeunes s'étaient partagés en deux groupes : les curieux qui avaient couru dans le champ derrière l'orphelinat pour voir le cratère laissé par l'avion ; et ceux, moins nombreux, qui tentaient de rassembler les poules qui avaient fui pour échapper aux flammes.

En posant le jeune enfant dans l'herbe, Marc vit M. Thomas, le directeur, sortir en courant de sa petite maison située à proximité de l'orphelinat.

— Tout le monde est sain et sauf ? lança-t-il en levant les yeux vers la cheminée endommagée, la main en visière pour se protéger des rayons du soleil bas.

Puis il se rua à l'intérieur, manquant de renverser une religieuse qui sortait au même instant avec des chiffons et un seau d'eau pour s'occuper des soldats brûlés.

En voyant le directeur, Marc se souvint qu'il avait faim. M. Thomas vivait seul et il mangeait mieux que les orphelins grâce aux produits provenant d'une épicerie fine de Beauvais.

Marc scruta les environs avant de se diriger vers la maison d'un pas décidé. Le trajet lui prit moins d'une minute et, même s'il était peu probable que le directeur retourne chez lui au beau milieu de ce drame, il sentit son cœur s'emballer. À sa connaissance, aucun orphelin n'avait jamais osé s'aventurer au domicile de M. Thomas, et s'il était pris, il aurait du mal à supporter une deuxième correction.

Certaines personnes auraient pu trouver jolie la maison du directeur. La façade blanche immaculée était repeinte tous les étés par deux adolescents, qui étaient roués de coups s'ils ne faisaient pas du bon travail, et M. Thomas accordait à son jardin toute l'affection et l'attention dont il privait les orphelins. Mais pour Marc, qui n'était impressionné que par les immenses paquebots et les grands immeubles de bureaux qu'il voyait dans les bandes dessinées et les magazines, la maison du directeur incarnait cette campagne qu'il s'était promis de quitter à la première occasion.

La porte d'entrée était entrouverte. Marc glissa la tête à l'intérieur avant de poser le pied sur le sol en pierre. La maison ne mesurait pas plus de six mètres, en longueur comme en largeur. L'unique pièce du rez-de-chaussée accueillait un fourneau, un évier et quelques placards, face à une fenêtre à petits carreaux, fendue par l'explosion. Au centre, il y avait une table et, de l'autre côté, un coin salon avec deux fauteuils et une étagère de livres, sur laquelle était posée une radio. Au fond de la pièce, un escalier menait à l'étage, si étroit que M. Thomas devait sans doute se mettre de profil pour monter.

Depuis toujours, Marc considérait le directeur comme une sorte de dieu, investi d'un pouvoir qui ne saurait être remis en cause ; c'était lui qui détenait la nourriture et infligeait les châtiments. Mais en découvrant cette modeste demeure, Marc s'apercevait que le directeur d'un orphelinat de campagne n'était pas un personnage très important et cette découverte eut sur lui un effet libérateur. Une confiance nouvelle l'envahit au moment où il ouvrait le garde-manger.

Ses yeux écarquillés découvrirent toutes sortes de victuailles auxquelles il n'avait jamais goûté : des sardines en boîte et des quartiers d'oranges en conserve, du pâté, des olives, une assiette d'ailes de poulet et un pot de miel. Ne voulant pas s'attarder, Marc prit un torchon propre sur l'étagère du bas et l'étala sur l'égouttoir de l'évier pour y déposer du pain, du poulet, un bout de fromage et un gros morceau de pâté qu'il piocha avec les doigts. Il mourait d'envie d'essayer les oranges, mais il n'avait jamais ouvert de boîte de conserve et ne savait pas comment s'y prendre.

En soulevant les conserves, il tomba sur une boîte en fer-blanc légèrement rouillée qui avait autrefois contenu du sel. Lorsqu'il la remua, il entendit le bruit caractéristique de pièces de monnaie qui s'entrechoquent. Intrigué, il ôta le couvercle et découvrit, au milieu des pièces, une épaisse liasse de billets de cinquante et cent francs.

La vision de cet argent était grisante, mais Marc savait qu'il ne pourrait pas entrer dans l'unique commerce du village en brandissant un billet de cinquante francs sans être immédiatement accusé de vol. Alors, il remit le couvercle, rassembla la nourriture dans le torchon et s'empressa de ressortir.

Il fit le tour de la maison et s'assit sur un tronc d'arbre. De là, il avait une vue d'ensemble sur les environs et pouvait aisément se cacher si quelqu'un approchait.

Alors que Marc venait d'étaler le torchon sur ses genoux, une explosion lointaine illumina le décor. Il sursauta. Un autre Stuka remontait dans le ciel, presque à la verticale, après avoir largué sa bombe laissant une traînée dans le ciel mauve.

Remis de sa frayeur, Marc mordit à pleines dents dans le pain et les ailes de poulet. Puis il s'attaqua au pâté, avec les doigts, engloutit les sardines – qu'il trouva trop salées – et pour finir, il se jeta sur le fromage. Le goût puissant de la crème jaillit dans sa bouche quand il mordit dans la croûte élastique.

Marc n'était pas habitué à une nourriture aussi riche, et son aspect interdit, ajouté à la faim et au décor dramatique, la rendait encore plus extraordinaire. À tel point qu'il en oubliait presque la douleur dans sa cuisse et les plaies cuisantes de son dos.

Quand il eut tout mangé, il se lécha les doigts et constata qu'il avait soif. En dix minutes, le coucher de soleil doré avait cédé la place à une fine bande violette au-dessus des arbres. Alors qu'il repassait à pas feutrés devant la maison de M. Thomas, il avisa sa bicyclette toute neuve appuyée contre le flanc de la maison et il établit aussitôt l'équation suivante :

VÉLO + ARGENT = LIBERTÉ

Marc avait passé les douze années de sa vie à l'orphelinat et il ne s'était jamais aventuré au-delà du village le plus proche et des fermes environnantes, à l'exception d'un séjour de cinq nuits à l'hôpital de Beauvais, dont il se souvenait à peine car la fièvre due à une sévère rougeole l'avait fait délirer.

Ce vélo et cet argent constituaient sa meilleure chance d'évasion, mais c'était aussi la décision la plus importante de sa vie et il avait le souffle coupé rien qu'en y pensant.

Survolté, Marc regarda autour de lui pour s'assurer qu'il était toujours seul, puis il retourna dans la maison. Il remplit un verre d'eau au robinet et le vida presque d'un trait, alors que les questions bouillonnaient dans sa tête.

Marc n'était pas un hurluberlu. Fuguer ne serait pas facile, il le savait. À douze ans, il était certain de se faire prendre tôt ou tard ; on le renverrait alors auprès de M. Thomas, qui le corrigerait sévèrement, le nourrirait de pain et d'eau pendant des mois et le condamnerait à dormir dans une grange non chauffée.

D'un autre côté, il ne supportait pas l'idée de passer une nuit de plus dans ce grenier étouffant, soumis à une pression permanente, obligé de jouer les durs devant des garçons qui livraient sans cesse les mêmes combats ennuyeux. Depuis toujours, il rêvait de monter dans un train, de passer une nuit à la belle étoile, de voler des œufs dans un poulailler et de prendre l'ascenseur qui conduisait en haut de la tour Eiffel…

Hélas, la guerre compliquait sérieusement les choses. Il avait entendu dire que de nombreuses routes avaient été endommagées, même si c'était beaucoup moins problématique pour un vélo que pour un camion.

Et que se passerait-il s'il était arrêté non pas par la police française, mais par les Allemands ? Néanmoins, son sort ne serait pas plus enviable s'il attendait que les Allemands atteignent l'orphelinat. Peut-être que s'il parvenait à descendre suffisamment dans le sud, ils ne le rattraperaient jamais? Mais où irait-il ensuite? Y aurait-il quelqu'un pour lui donner à manger et lui offrir un toit une fois qu'il n'aurait plus d'argent?

Marc s'approcha du garde-manger. Il ouvrit la porte et regarda la vieille boîte à sel qui contenait les économies du directeur. Chaque nouvelle question en faisait naître deux nouvelles. Il savait qu'il ne pourrait jamais répondre à toutes, ni même à la plupart. En vérité, une seule importait vraiment : « Ai-je assez de cran pour m'enfuir ou bien ne suis-je qu'un beau parleur comme l'affirme Lanier? »

Marc pensa au destin. Dieu avait peut-être laissé la bicyclette et l'argent à cet endroit pour le tenter. Ou peut-être voulait-Il l'inciter à fuguer? Finalement, Marc décida de plonger la main dans la boîte en fer-blanc et d'y prendre une pièce de monnaie sans la regarder. Quand il ouvrirait le poing, si la pièce était sur face, il s'en irait. Si c'était pile, il resterait.

Cela pouvait paraître stupide, mais il n'avait pas d'autre plan. Après s'être assuré une nouvelle fois que personne n'approchait, il dévissa le couvercle de la boîte et en sortit une pièce.

Tremblant de la tête aux pieds, il déplia ses doigts et découvrit, sur la petite pièce de deux centimes, le visage de la République qui le regardait. Alors, il plongea la main dans la boîte et rafla les économies du directeur.

CHAPITRE HUIT

M. Clarke roulait à toute vitesse. Rosie était assise à l'avant et Paul à l'arrière, au milieu des bagages. Craignant que la police ne débarque, ils n'avaient pas pris le temps de les charger dans le coffre.

— Je vous dois des excuses, dit M. Clarke une fois qu'ils eurent mis quelques kilomètres entre eux et l'appartement. Vous n'auriez jamais dû assister à cette scène. Si ça n'avait tenu qu'à moi, vous seriez déjà à l'abri en Angleterre. La Compagnie impériale de radiophonie a offert de payer vos frais de scolarité après le décès de votre mère, mais étant française, je sais qu'elle n'aurait pas souhaité vous envoyer dans un pensionnat anglais.

Paul, encore sous le choc, avait du mal à associer le caractère chaleureux de son père à son comportement froid et calculateur dans l'appartement.

— Alors, c'était qui, cet Allemand ? demanda-t-il.

— *Abwher* : la police secrète.

— Mais madame Mujard a dit que la police française était venue, elle aussi, souligna Rosie.

— Non, répondit son père, alors que la Citroën tournait à droite dans une ruelle pavée.

Ils roulaient dans un quartier pauvre de la capitale, où du linge séchait sur des fils tendus d'une maison à l'autre.

— Cela fait des années que des agents allemands opèrent en France, mais depuis l'invasion, ils s'enhardissent. Ils ont pris l'habitude de se déguiser en officiers de police et leurs ennemis ont tendance à disparaître, ils sont soit tués, soit enlevés pour être interrogés. D'après Henderson, la police française ferme les yeux.

— Pourquoi ? demanda Paul.

— Beaucoup de policiers ont fui vers le sud. Ceux qui sont restés espèrent travailler pour les Allemands dans quelques semaines ; ils n'ont donc aucune envie de s'opposer à leurs futurs patrons.

— Qui est cet Henderson ? demanda Rosie. Un espion ?

M. Clarke hocha la tête.

— Il travaille pour l'Unité d'Espionnage et de Recherches, une branche du renseignement naval. Il s'agit d'un petit département dont la mission consiste à traquer les technologies ennemies.

— Toi aussi, tu es un espion ?

Cette idée fit rire M. Clarke.

— J'ai suivi une formation avec les services de renseignement quand j'étais dans la marine, mais ce n'est certainement pas mon métier. Outre les radios standard semblables à celles que nous avons à la maison, la Compagnie impériale de radiophonie fabrique du matériel spécialisé, comme des émetteurs pour les avions et les bateaux militaires, des balises directionnelles, des systèmes de brouillage et ainsi de suite. Depuis dix-sept ans que je vends ce matériel d'un bout à l'autre de la France, je connais tout le monde dans ce métier, des officiers de la marine française chargés de l'achat de matériel jusqu'au personnel administratif dans les bureaux de nos concurrents. Tous les deux mois environ, Henderson et moi nous retrouvons pour boire un verre. Il s'intéresse beaucoup aux dernières inventions technologiques de nos rivaux et...

M. Clarke dut s'interrompre. La rue dans laquelle il venait de tourner était bloquée par des barrières en bois. À cent mètres de là, un grand nombre de personnes se massaient devant une importante gare ferroviaire. Son accès était interdit et des soldats, arme au poing, montaient la garde devant les grilles en fer forgé.

Un policier coiffé d'une casquette s'approcha de la voiture d'un air suffisant, tandis que M. Clarke baissait sa vitre.

— Vous avez des billets de train ? demanda-t-il sèchement.

M. Clarke secoua la tête.

— J'essaye juste de traverser la ville.

L'officier de police désigna d'un geste autoritaire la direction d'où ils venaient.

— Interdiction de passer. Ne restez pas ici.

Ils durent faire un demi-tour.

— Ah, zut ! pesta M. Clarke, alors que le pneu avant frottait contre le trottoir. Rosie, sors la carte qui se trouve sous le siège, il faut trouver un autre moyen de quitter la ville.

Après quelques centaines de mètres, il s'arrêta devant une blanchisserie et se pencha pour étudier la carte que sa fille avait dépliée sur ses genoux. De par son métier, il avait sillonné la France et il lui fallut moins de trente secondes pour établir un itinéraire de rechange.

Dès qu'il eut retrouvé son chemin, il reprit son histoire :

— L'an dernier, j'ai entendu dire qu'un nouvel émetteur-récepteur — une radio qui peut transmettre et recevoir des messages — avait été conçu et réalisé par un Français nommé Luc Mannstein. Il dirige une entreprise familiale qui fabrique de très belles et très coûteuses montres depuis plus de cent ans. Mannstein est également un fervent radioamateur. Comme beaucoup de passionnés, il a construit son propre matériel radio et des antennes capables de transmettre dans le monde entier. Mais surtout, il a décidé de mettre à profit ses talents d'horloger pour fabriquer un poste miniature.

Mannstein a mis au point un émetteur radio puissant et robuste, trois fois moins lourd que tous ceux que nous fabriquons. Même avec une antenne, une batterie, un clavier de morse ou un micro, on peut aisément le transporter dans une sacoche en cuir. Pour l'instant, il n'existe que quelques prototypes fabriqués à la main, mais si on parvenait à la produire à la chaîne, cette radio révolutionnerait les communications.

M. Clarke était redevenu lui-même ; sans même s'en apercevoir, il s'était lancé dans son laïus de représentant de commerce :

— Imaginez une radio assez petite et légère pour être portée par tous les soldats sur un champ de bataille ou chaque policier qui effectue sa patrouille. La communication instantanée ! Avec cet appareil, les automobilistes pourraient s'appeler entre eux pour signaler les accidents ou les embouteillages. Peut-être même qu'un jour, les maris pourront appeler leurs femmes par radio, quand elles sont dans la cuisine, pour leur annoncer qu'ils sont sur le chemin de la maison.

— Tous ces documents concernent cet appareil, c'est ça ? demanda Paul en regardant la pile de feuilles à côté de lui sur la banquette. Ce sont les plans de l'émetteur-récepteur miniature de Mannstein ?

— Exact, répondit son père. À long terme, cette radio compacte deviendra sans doute un produit de grande consommation, mais l'Unité d'Espionnage et de Recherches s'intéresse à ses applications secrètes. Un agent qui opère derrière les lignes ennemies a besoin d'un émetteur discret et solide. Dès que j'ai appris l'existence de cet appareil miniature, j'en ai parlé à mes patrons. Ils ont proposé à Mannstein d'entrer dans le capital de son entreprise et de construire un atelier dans lequel ils pourraient commencer à produire ces radios. Hélas, notre société a connu quelques années difficiles sur le plan financier et notre offre n'était guère mirobolante. Mannstein l'a rejetée. Entre-temps, Henderson avait informé le gouvernement britannique du potentiel de cette invention et il essayait de rassembler des fonds pour augmenter la mise. Mais, les démarches se sont embourbées dans la paperasserie, juste au moment où les Allemands entraient dans la partie. La tactique des nazis consiste à acquérir la meilleure technologie disponible quel qu'en soit le prix. Et, alors que les Français se désintéressaient de la question et que les Britanniques hésitaient à s'immiscer dans les règles de la libre concurrence, les Allemands sont arrivés avec une offre en or massif : une usine flambant neuve en Allemagne et un laboratoire ultramoderne où Mannstein pourrait perfectionner son invention. À ce moment-là, les Britanniques ont doublé leur offre. Hélas, elle ne pouvait toujours pas rivaliser avec celle des Allemands. Mannstein était prêt à signer un contrat et à déménager son entreprise en Allemagne, mais au dernier moment, la France a déclaré la guerre et tout est tombé à l'eau.

— Il a donc signé avec la Grande-Bretagne ?

M. Clarke secoua la tête.

— Les Français s'y sont opposés. Ils ont fait capoter l'accord pour une question de licence d'exportation. Ils ont même confisqué son passeport à Mannstein pour l'empêcher de quitter le pays. Ce projet est donc suspendu depuis neuf mois. Après le succès de l'invasion allemande, je me suis entretenu avec Henderson et nous avons organisé de toute urgence une rencontre dans le bureau de Mannstein. Nous voulions lui proposer de gagner l'Angleterre en toute sécurité, mais quand je suis arrivé à la réception, je suis tombé nez à nez avec l'Allemand que vous avez vu dans l'appartement, accompagné de deux collègues. Mannstein ne semblait pas heureux de nous voir. Il n'a pas dit grand-chose, mais j'ai eu l'impression qu'il estimait que nous nous étions moqués de lui et qu'il serait ravi d'attendre l'arrivée des Allemands afin de pouvoir collaborer avec eux. En repartant, j'ai parlé à Henderson d'un jeune vendeur qui travaillait dans l'entreprise de Mannstein ; j'avais glissé un mot en sa faveur à son patron, ce qui lui avait permis d'obtenir ce poste. Il se trouve que le jeune homme en question est juif et qu'il avait hâte de partir dans le sud sans attendre l'arrivée des Boches. J'ai pu le voir juste avant qu'il ne s'enfuie avec sa famille. Il m'a confié les clés du bureau et de l'atelier de Mannstein. Ce matin, je me suis levé à trois heures et je m'y suis rendu. Le système de sécurité était quasiment inexistant mais, manque de chance, les Allemands guettaient. Au moment où je regagnais ma voiture avec les documents, deux hommes m'ont sauté dessus. Heureusement, j'avais mon couteau à portée de main et j'ai réussi à les neutraliser.

Rosie et Paul échangèrent un regard incrédule ; ils étaient à la fois impressionnés et choqués par le récit de leur père. Avec ses tenues strictes et ses manières affables, il n'était pas du genre à se promener avec un couteau dans sa poche.

— Si j'avais suivi les consignes, je les aurais tués l'un et l'autre, reprit-il. Mais je ne l'ai pas fait, et c'était une grave erreur. Ils savaient qui j'étais et nous avons bien failli y passer tous les trois tout à l'heure.

En disant cela, M. Clarke se retourna vers sa fille et lui sourit.

— Mais tu nous as sauvés, ma chérie.

— Il a quand même eu le temps de tuer madame Mujard, fit remarquer Rosie.

— C'est vrai, soupira son père. Je suis responsable de ce meurtre épouvantable et je n'avais pas le droit de vous faire courir un tel danger.

— Ne t'excuse pas, dit Paul. Tu as fait tout ce que tu pouvais.

M. Clarke esquissa un sourire. Paul ne parlait pas beaucoup, ses paroles n'en avaient que plus de poids.

— Tout ce que je sais, dit-il, c'est que si votre mère nous observe de là-haut, elle doit avoir les poings sur les hanches et enrager de ne pas pouvoir me passer un savon !

CHAPITRE NEUF

Marc s'éloigna de la maison en poussant la bicyclette du directeur et il se plia en deux pour traverser le champ de blé derrière l'orphelinat. Il avait de l'argent, un moyen de locomotion, un couteau et un sac en cuir, volé à M. Thomas, dans lequel il avait fourré des conserves et un ouvre-boîtes dont il s'était promis de comprendre le fonctionnement ultérieurement. Les vêtements, en revanche, étaient un problème.

Il n'avait sur lui qu'un short taché de sang. Heureusement, les religieuses lavaient régulièrement le linge et quelques chemises et pantalons étaient étendus sur des cordes. Tout le monde se trouvait de l'autre côté du bâtiment, s'occupant des soldats blessés ou participant à la chaîne qui faisait circuler des seaux et des casseroles d'eau afin d'éteindre l'incendie de la grange. Ce fut donc un jeu d'enfant de subtiliser un pantalon, des sous-vêtements, des chaussettes et deux chemises blanches.

Pour les chaussures, c'était plus délicat. Outre les bottes en caoutchouc puantes qu'il portait pour nettoyer l'étable, Marc ne possédait qu'une vieille paire de tennis trop petites, qu'il s'empressait d'ôter pour courir pieds nus dès qu'il sortait de l'école. Elles étaient totalement inadaptées à un long voyage.

Mais il savait que certains garçons, employés comme apprentis chez des artisans locaux, avaient des souliers corrects. Marc rêvait depuis toujours d'une vraie paire de chaussures, surtout en hiver quand il souffrait du froid. Toutefois, il répugnait à voler celles d'un autre garçon, parce que le directeur accuserait celui-ci de négligence et lui flanquerait une correction. En outre, une paire de chaussures était quasiment le bien le plus précieux d'un orphelin et, si Marc revenait un jour, il ne devrait pas affronter uniquement la colère du directeur.

Pourtant, il ne pouvait pas espérer atteindre Paris sans des souliers dignes de ce nom ; il n'avait donc pas le choix. Il se précipita à l'intérieur de l'orphelinat. La poussière et les cendres qui avaient jailli des cheminées étaient retombées et elles collaient à ses plantes de pied humides alors qu'il gravissait l'escalier en courant.

Il avait prévu de monter jusqu'au grenier, mais il entendit la voix de M. Thomas tout là-haut. En risquant un coup d'œil dans la cage d'escalier, il l'aperçut dans la pénombre du palier, en train d'inspecter la cheminée endommagée. Si jamais le directeur reconnaissait le sac qu'il portait en bandoulière, sa tentative de fuite s'achèverait de manière prématurée et douloureuse.

Cela voulait dire qu'il devait voler des chaussures au premier étage. Une puissante rivalité opposait les garçons qui dormaient dans le grenier à ceux qui dormaient au premier.

Les orphelins étaient à ce point entassés dans les dortoirs qu'ils devaient se déchausser dans le couloir. Quelques-uns étaient revenus chercher leurs souliers, mais il en restait plusieurs paires sur le seuil de la première chambre.

Marc avait espéré que tout le monde serait sorti, mais un garçon de dix ans, Victor, était assis sur sa couchette le bras dans le plâtre.

— Hé ! s'écria-t-il en apercevant Marc. Fiche le camp d'ici, retourne dans ton grenier !

Marc chercha une bonne raison pour expliquer pourquoi il avait besoin de prendre les chaussures de quelqu'un d'autre, mais il n'en trouva aucune.

— Occupe-toi de tes oignons, l'estropié !

Il examina les chaussures alignées devant lui. Elles étaient toutes immenses, à l'exception d'une paire dont il savait qu'elle appartenait à un certain Noël, apprenti chez le forgeron du coin. Marc les prit par les lacets. Cela lui faisait mal au cœur car Noël était un des garçons les plus sympathiques de l'orphelinat.

— Repose ça ! ordonna Victor d'un ton ferme, sans s'approcher toutefois car Marc était costaud et il avait ses deux bras pour se battre.

— Cinquante francs pour toi si tu la boucles, dit Marc en sortant un billet de sa poche de short.

Le garçon regarda l'argent avec des yeux exorbités et Marc crut qu'il allait le prendre, mais Victor n'était pas idiot. Avoir cinquante francs, c'était bien à condition de pouvoir les dépenser, et même le plus stupide des orphelins savait que s'il se présentait au village avec une telle somme, cela provoquerait une enquête, suivie d'une correction dans le bureau du directeur.

— Repose-les tout de suite, répéta Victor. Je vais le dire aux autres et ils te fileront une sacrée dérouillée.

Marc envisagea de lui flanquer une raclée mais Victor risquait de brailler et le directeur était suffisamment proche pour l'entendre.

— Tu diras à Noël que je lui dois une paire de grolles, répondit-il tristement en ressortant de la pièce à reculons.

Il balança les chaussures sur son épaule et repartit vers l'escalier en trottinant.

— Tu es bouché ou quoi ? brailla Victor en se levant d'un bond pour s'élancer à la poursuite de Marc.

Celui-ci était ralenti par sa plaie à la cuisse. Résultat, malgré la différence d'âge, Victor était sur ses talons lorsqu'il arriva devant les cuisines au rez-de-chaussée. Le jeune garçon appela à l'aide et les renforts arrivèrent aussitôt en la personne de Sébastien, un ancien camarade de chambre âgé de seize ans, qui rentrait à ce moment-là.

— Il a fauché les chaussures de Noël! lui lança Victor.

Marc faillit percuter de plein fouet l'adolescent, mais il parvint à pivoter sur lui-même pour venir bousculer Victor, qui tomba lourdement sur son bras plâtré et poussa un gémissement de douleur.

La présence de deux soldats français et d'une religieuse empêchait Marc de sortir par-derrière; il ne lui restait donc plus qu'une seule option: la cuisine. Un soldat à demi inconscient, avec un éclat d'obus dans le bras, était assis à la grande table lorsqu'il entra en courant. Il traversa la pièce et bondit dans l'immense évier où l'on récurait les gigantesques casseroles servant à faire la cuisine pour une centaine d'enfants.

Au-dessus, la fenêtre était fermée et Marc perdit un temps précieux en s'acharnant sur la poignée en cuivre. Sous le regard hébété du soldat, il poussa enfin le panneau vitré vers l'extérieur et sauta.

Il y avait moins d'un mètre jusqu'au sol, mais la jambe estropiée de Marc se déroba sous son poids. Il voulut amortir sa chute mais sa main heurta le bord tranchant d'une pierre. La douleur lui coupa le souffle le temps qu'il se redresse, il vit le torse musclé et effrayant de Sébastien se glisser par l'ouverture de la fenêtre.

Marc savait qu'il ne pourrait pas atteindre le champ où il avait caché la bicyclette avant d'être rattrapé par l'adolescent. Sa seule chance consistait à l'attaquer pendant qu'il était coincé dans la fenêtre. Après avoir envisagé brièvement de le frapper avec les chaussures, Marc comprit que la meilleure arme était la fenêtre elle-même.

Devinant ce qui allait se passer, Sébastien se mit à beugler lorsque Marc se saisit du panneau vitré. Les bras collés le long du corps, l'adolescent ne put empêcher la fenêtre de se rabattre sur son crâne.

Marc ne s'attarda pas pour regarder le résultat, mais ça ne devait pas être beau à voir. Cinq minutes plus tôt, Marc aurait encore pu renoncer à l'argent du directeur et à son projet de fugue, mais maintenant, il y avait les chaussures volées, une vitre brisée et un des costauds de l'orphelinat aurait besoin de se faire recoudre le visage. Impossible de faire machine arrière.

Heureusement, tout le monde, ou presque, était encore devant le bâtiment ; Marc put courir vers le champ en se faufilant au milieu du linge qui séchait. Sa main et sa cuisse lui faisaient un mal de chien et tout son corps l'élançait à cause des coups de canne. Mais l'adrénaline est un formidable remède contre la douleur et elle coulait à flots dans ses veines.

Alors qu'il se glissait à travers une haie, il se retourna vers l'orphelinat et fut pris de nausées. En dépit de la nourriture infecte, du vacarme, de la chaleur, des châtiments et des persécutions, une partie de lui-même regrettait de ne pas pouvoir remonter dans son lit pour dormir.

L'ampleur de ce qu'il venait d'entreprendre le submergeait. Il avait atteint un tournant de sa jeune existence, et quand il se baissa pour ramasser la bicyclette, de la bile monta de sa gorge.

Il se demanda s'il n'avait pas commis la plus grosse erreur de sa vie.

CHAPITRE DIX

Les orphelins avaient le droit d'utiliser une vieille bicyclette cabossée quand on les envoyait faire une course au village, mais celle du directeur, une Peugeot flambant neuve, entrait dans une tout autre catégorie : un cadre d'adulte, des freins corrects, trois vitesses et une selle très haute. Il lui fallut plusieurs kilomètres pour s'y habituer.

Tous les cent mètres, il croisait des groupes de civils en exode. Les plus chanceux avaient des chevaux et des carrioles. Les autres utilisaient des landaus ou des charrettes à bras faites de planches de bois assemblées. Dans certaines s'empilaient des matelas et des ustensiles de cuisine, alors que d'autres servaient de lits à des enfants endormis.

Le temps que Marc atteigne le village, ses yeux s'étaient habitués à l'obscurité. Malgré la hauteur de la selle, il avait pris de l'assurance et compris l'intérêt des vitesses. La boulangerie située à l'entrée du hameau semblait avoir été bombardée elle aussi, et des gravats s'étaient répandus sur la route. Mais il ne ralentit pas pour regarder : il ne voulait pas être reconnu.

Les pavés de la place du village faisaient trembler la bicyclette, ce qui n'empêcha pas Marc de ressentir un frisson d'excitation en suivant le panneau *Beauvais 5 km*. Mais avant d'y arriver, il fallait gravir une pente raide. Une fois en haut, il décida qu'il avait mis une distance suffisamment grande entre l'orphelinat et lui ; il pouvait prendre le risque de s'arrêter.

Il mit pied à terre et descendit dans un petit fossé sur le bas-côté, en essuyant la sueur qui coulait sur son front et ses bras nus. Il était essoufflé et regrettait de ne pas avoir emporté d'eau.

Assis sur un monticule d'herbe sèche, il troqua son short sale contre un pantalon en velours, une chemise blanche, des chaussettes et, pour finir, les chaussures. Il n'en avait jamais porté et il dut s'habituer à leur poids et à la rigidité de la semelle. *A priori*, elles lui allaient plutôt bien et elles lui donnaient le sentiment d'être un adulte. Pendant quelques instants, il éprouva même une folle sensation de liberté. Mais très vite, il songea que quelqu'un était peut-être à ses trousses, alors il balança son sac sur son dos et enfourcha le vélo pour attaquer la descente.

Marc avait toujours rêvé de voir Beauvais. Certes, c'était une ville de moins de cinquante mille habitants, mais aux yeux d'un garçon venu de nulle part, la cathédrale, les cinémas et les boutiques, où les chocolats et les gâteaux s'empilaient dans les vitrines, avaient un parfum de légende.

Malheureusement, cette ville se trouvait sur la route principale qui menait à Paris et les bombardements allemands avaient transformé le rêve de Marc en cauchemar. L'arrivée sur Beauvais ressemblait à une vision de l'enfer : l'odeur du gas-oil enflammé flottait dans l'air et des rubans de fumée passaient devant la lune. La route était partiellement coupée par un cratère dans lequel était renversée une voiture, ou ce qu'il en restait. Sur le bas-côté, des arbres calcinés avaient été abattus pour permettre le passage des véhicules, mais le terrain accidenté obligea Marc à mettre pied à terre.

En poussant son vélo sur le bord de la route, il découvrit un alignement de corps dissimulés sous des couvertures. Comme si ce spectacle n'était pas assez effrayant, un rat énorme lui fila entre les jambes et disparut au milieu des arbres. Un coup d'œil au fond du cratère lui permit d'apercevoir les silhouettes grouillantes des rats et des corbeaux qui se disputaient des viscères éparpillés sur le sol.

Choqué, Marc fut frappé par une sinistre réalité : il était seul. Il venait de dépasser deux réfugiés, des personnes âgées qui transportaient des oiseaux en cage et un chat roux, et il fut tenté de rebrousser chemin pour demander leur aide.

Mais il fallait être réaliste : ils n'étaient pas en position d'aider qui que ce soit. Les yeux fixés sur les maisons de Beauvais qui se découpaient en ombres chinoises, Marc envisagea alors de retourner à l'orphelinat. Si un homme suffisamment important pour posséder une belle voiture pouvait finir au milieu de la route avec les tripes à l'air, quelles étaient les chances d'un orphelin de douze ans ?

Le problème, c'était qu'il ne pouvait plus faire marche arrière. Il imaginait Lanier et les autres éclatant de rire en le voyant revenir moins d'une heure après s'être enfui. Sans parler des réactions de Sébastien et du directeur...

Presque inconsciemment, Marc continua à pousser sa bicyclette en direction de Beauvais. Quand il eut contourné le cratère, il remonta en selle et pédala prudemment dans les rues. La plupart des volets étaient fermés pour la nuit. En outre, toutes les lumières étaient éteintes pour éviter que la ville ne soit prise pour cible par les pilotes allemands, mais plusieurs feux brûlaient encore à la suite d'un raid antérieur et des vitres avaient été pulvérisées par les explosions. Les débris de verre avaient été balayés dans les caniveaux, mais il en restait sur la route et Marc redoutait une crevaison.

Les choses s'animèrent lorsqu'il arriva en roue libre au pied d'une rue en pente et s'engagea sur un des boulevards. Comme partout ailleurs dans le nord de la France, la population de Beauvais s'était divisée entre ceux qui avaient fui vers le sud et ceux qui avaient décidé de s'abandonner au sort que leur réservaient les Allemands.

Ceux qui étaient restés semblaient bien décidés à profiter de leur dernier souffle de liberté. L'air était doux et les quelques cafés encore ouverts étaient bondés. Tous les lampadaires avaient été éteints et les cafés avaient baissé leur rideau de fer ou tiré des rideaux noirs devant les vitres, mais Marc voyait trembloter les flammes des bougies sur les tables installées à l'extérieur et rougeoyer les cigarettes qui dansaient frénétiquement entre les doigts des clients éméchés.

Le volume des bavardages n'avait rien d'extraordinaire dans une rue où se côtoyaient les bars et les restaurants, mais Marc n'avait jamais vu autant d'adultes rassemblés dans un même lieu, et leur apparente décontraction dans cette quasi-obscurité renforçait son impression d'être un intrus.

Il s'arrêta en atteignant une fontaine, lâcha son vélo et mit sa tête sous le jet pour avaler de grandes goulées d'eau fraîche.

— T'as pas un peu de monnaie, petit ? demanda un homme d'une voix forte, le faisant sursauter.

Marc s'écarta aussitôt de la fontaine, le menton ruisselant, et observa le vieux bonhomme qui lui faisait face. Il ne portait qu'un caleçon et une paire de chaussures. Il était si sale que Marc crut tout d'abord qu'il avait enfilé une sorte de costume de gorille.

— Rien qu'une petite pièce, dit l'homme avec un sourire, la main tendue. Ce que tu peux.

Les narines de Marc furent assaillies par une forte odeur d'alcool, de sueur et de vomi. Il recula, trébucha sur son vélo, s'empressa de le relever, l'enfourcha et s'enfuit en pédalant furieusement.

À l'intersection suivante, il avisa un panneau qui indiquait la gare. Il savait que Paris se trouvait à une soixantaine de kilomètres et, d'après la carte ferroviaire punaisée au mur de l'école, une fois que vous étiez dans la capitale, il y avait des trains pour toutes les directions.

Marc reçut un nouveau choc en découvrant l'endroit où sa mère l'avait abandonné. Il n'éprouvait ni joie ni tristesse, mais un sentiment assez puissant pour masquer sa déception, temporairement.

Dans son imagination, la gare de Beauvais était un lieu fantastique où des machines crachaient de la vapeur sous un toit en fer forgé, où des garçons vendaient des journaux à la criée et où se croisaient des gens bien habillés et pressés. Mais la gare, située sur une ligne secondaire, ne se composait en fait que de deux quais, d'un guichet, d'une salle d'attente et d'un buffet désaffecté.

Les gens qui se trouvaient là ressemblaient à ces pauvres âmes désespérées qu'il avait croisées sur la route. Plus il les voyait, plus il était convaincu d'être en présence de la lie de la société. Les rares chanceux qui possédaient des automobiles ou des carrioles en bon état, ou qui étaient assez robustes pour marcher longtemps et d'un bon pas, étaient loin déjà.

Seuls les plus misérables échouaient à la gare de Beauvais dans l'espoir de prendre un train. Il y avait principalement des gens âgés, ou bien des femmes accompagnées de jeunes enfants, jusqu'à quatre ou cinq parfois, rassemblés autour de leur mère telles des portées de poussins. Les maris étaient morts ou bien partis se battre sur le front.

Plusieurs personnes regardaient fixement les rails comme si cela pouvait inciter le train à arriver plus vite. La salle d'attente était si exiguë que beaucoup d'autres voyageurs s'étaient assis dans la rue. Tous ces gens étaient sales et, où qu'il pose le regard, Marc ne voyait que des pieds couverts de croûtes et de cloques.

Il n'y avait pas de queue au guichet, mais l'adolescent posté derrière la vitre affichait l'air las de celui qui sait exactement ce qu'on va lui demander.

— Il y a trois trains qui viennent du nord, expliqua-t-il à Marc en faisant tourner sa casquette sur son index. Je peux te vendre un billet, mais je ne peux pas te dire si le train passera ce soir, demain ou à un autre moment. Et s'il passe, je ne peux pas t'affirmer qu'il s'arrêtera ni qu'il y aura de la place à bord. Le dernier est passé il y a trois heures. Il était rempli de soldats blessés et le conducteur ne s'est pas arrêté.

Marc hocha la tête avec gravité.

— Quand saurez-vous si un train va venir ?

— Toutes les liaisons téléphoniques avec le nord sont coupées. Le chef de gare reçoit un signal automatique quand un train arrive au château d'eau, un peu plus loin sur la ligne, mais de toute façon, tu l'entendras sûrement arriver.

Marc avait toujours vécu à l'écart du monde. Il voyait les trains comme d'énormes créatures invulnérables ; il n'avait jamais pensé qu'une bombe puisse immobiliser cent kilomètres de voie. Face à son air dépité, le jeune guichetier eut pitié de lui.

— Tu es seul ? demanda-t-il.

Marc acquiesça. Il songea à se justifier en racontant que sa mère avait été tuée, mais avec tous ces bombardements et les flots de réfugiés lâchés sur les routes, un garçon de douze ans qui voyageait seul, cela n'avait finalement rien d'extraordinaire.

— Ton vélo est en bon état ?

— Excellent, répondit Marc.

Le jeune guichetier sourit.

— Pourquoi tu n'y vas pas à vélo, alors ? Paris est à moins de soixante kilomètres. Si tu pars maintenant et si tu pédales à un bon rythme, tu arriveras demain matin.

Marc semblait dubitatif.

— J'ai de l'argent. Il y a un endroit en ville où je pourrais me reposer ? Comme ça, je partirai dès que le jour se lèvera.

— Libre à toi, répondit le guichetier en haussant les épaules. Mais l'armée allemande bombarde les routes principales. Les avions sont moins actifs la nuit et on peut se cacher plus facilement.

Il était vingt-deux heures. Normalement, Marc était déjà couché, mais après avoir vécu la journée la plus folle de sa vie, il savait qu'il aurait du mal à dormir.

— C'est facile ? demanda-t-il. Je risque pas de me perdre ?

— Tu vas à Paris, mon gars ! Toutes les routes y mènent direct. D'ici, tu descends jusqu'à la rivière et au bout d'un moment, tu vas arriver à un embranchement avec trois routes, tu prends celle du milieu. Tu peux pas te tromper, c'est la plus large. Ensuite, c'est quasiment tout droit jusqu'à Paris.

Marc sourit.

— Super. Merci beaucoup pour votre aide.

Il recula avec son vélo et retourna dans la rue. La perspective d'effectuer un si long trajet seul l'effrayait mais, en regardant autour de lui tous ces pauvres gens, il s'aperçut qu'avec de l'argent, une bicyclette et une bonne santé, il était mieux loti que n'importe lequel d'entre eux.

En s'éloignant, il fut envahi par un sentiment de pitié, mais en même temps, il se réjouissait de ne pas se trouver dans leur situation. Une vive douleur dans la cuisse vint briser ce bel optimisme. Il se demanda avec angoisse si sa jambe blessée résisterait à une nuit de voyage.

Après avoir quitté la gare, Marc décida d'acheter à boire. À cette heure, aucun commerce n'était ouvert, alors il tourna à gauche pour revenir vers les cafés.

Il n'y avait guère de différences notables entre les établissements. Il s'arrêta donc devant le premier d'entre eux et fit rouler son vélo vers l'entrée. Les tables rondes disposées dehors étaient collées les unes aux autres, et un homme assis avec les pieds sur la table voisine ronchonna et le chassa d'un geste.

Marc était perdu. Heureusement, une serveuse portant des chopes de bière sur un plateau l'aperçut et vint lui demander ce qu'il voulait.

— Juste de l'eau pour un voyage, expliqua-t-il en sortant de sa poche un billet de dix francs. Je vais à Paris avec mon vélo.

La serveuse lui dit d'attendre et, après avoir déposé ses bières, elle revint avec une grande bouteille d'eau fermée par un bouchon à vis.

— C'est combien ? demanda Marc en découvrant une autre de ses faiblesses : il n'avait aucune idée du prix des choses.

— Pour un gentil garçon comme toi, c'est gratuit, répondit la serveuse.

Alors que Marc prenait la bouteille avec un sourire reconnaissant, un éclat de rire monta de la table voisine.

— Il est un peu jeune pour toi, Sabine ! lança un homme ivre.

— Hé, petit, ça te dirait de t'offrir une partie de jambes en l'air avec elle ? plaisanta son compagnon, tout en saisissant à pleines mains le postérieur de la serveuse.

— Merci, mademoiselle, dit Marc en s'efforçant d'ignorer ces railleries.

— Fichez-lui la paix, répondit la prénommée Sabine en donnant une tape sur la tête d'un des deux ivrognes. Ce pauvre gosse ne sait plus où se mettre.

Les rires cessèrent brutalement lorsqu'un éclair orange jaillit au loin, suivi de trois détonations sourdes qui provoquèrent des remous dans les verres de bière posés sur la table.

— Nom de Dieu ! s'exclama la serveuse en regardant par-dessus son épaule. Ça ressemble plus à des tirs d'artillerie, cette fois.

Elle reporta son attention sur Marc.

— Sois prudent sur la route, hein ? Et salue Paris de ma part.

— Merci, dit Marc en ayant l'impression de se répéter.

Il rangea la bouteille dans son sac, coincée entre le torchon et son short sale pour éviter qu'elle ne se brise.

Il enfourcha son vélo, esquissa un geste de la main et repartit en pédalant. En se retournant pour faire face à la route, il découvrit un soldat devant lui, à quelques mètres.

— Attention ! lui cria-t-il en faisant un écart.

Le soldat était torse nu sous sa veste d'uniforme maculée de boue et on devinait qu'il était ivre.

Au moment où Marc passait à sa hauteur, le soldat lui décocha un coup de pied. La bicyclette bascula et le genou de Marc heurta violemment une pierre. Le soldat lui donna une grande claque sur la bouche.

— Bouge pas! ordonna l'homme en agitant le poing sous le nez de Marc, puis il s'empara du vélo.

Ils étaient tout près du café et la serveuse, accompagnée des deux hommes qui l'avaient taquiné, accoururent. Mais le soldat disparaissait déjà dans la nuit en pédalant comme un dément.

— Ça va, petit? demanda un des hommes en aidant Marc à se relever.

Celui-ci avait reçu un méchant coup sur la bouche et il poussa un petit cri de douleur quand le poids de son corps appuya sur son genou.

— Rudement beau, ce vélo, commenta l'autre ivrogne en ramassant le sac de Marc par terre.

Ce dernier essaya de ne pas pleurer pendant qu'ils l'aidaient à regagner le café en clopinant, mais déjà il sentait une larme couler sur sa joue.

— Vilaine blessure, dit la serveuse. Conduisez-le à l'intérieur, je vais désinfecter ça.

CHAPITRE ONZE

La sortie de Paris s'effectua au ralenti, mais les problèmes apparurent pour de bon quand la Citroën atteignit la nationale qui descendait vers le sud. M. Clarke avait espéré faire d'une traite les cent vingt kilomètres jusqu'à Orléans et passer la nuit chez un vieil ami, responsable des achats dans le grand magasin de la ville.

M. Clarke avait l'avantage de posséder une voiture et il connaissait les routes de France comme sa poche. Mais les réfugiés formaient une masse impénétrable de véhicules et de corps qui se déplaçaient lentement. Se frayer un chemin était un calvaire : il fallait sans cesse s'arrêter et repartir, toujours en première, et quand la chaussée rétrécissait, la voiture devenait un handicap. Les coups de klaxon n'avaient aucun effet et la voiture devait parfois frôler dangereusement les gens, ce qui déclenchait de nombreuses vociférations.

De fait, la Citroën subit les attaques de quelques individus mécontents qui la martelèrent à coups de poing et de pied ou rayèrent la carrosserie. Un homme qui avait été bousculé arracha un rétroviseur. Craignant qu'il ne casse une vitre, M. Clarke saisit le pistolet qu'il avait pris à l'Allemand, mais heureusement, l'homme furieux expédia le rétroviseur dans les fourrés et repartit en lançant une bordée de jurons.

Paul avait conscience d'assister à un événement hors du commun. Il sortit de son cartable un carnet à dessins afin de croquer les personnes qui marchaient sur la route, les charrettes surchargées et les fermes bombardées. Chose inquiétante, il ne cessait d'apercevoir sur le bas-côté des voitures semblables à la leur dont le radiateur avait succombé à la chaleur.

Alors que Paul observait en silence, Rosie réagissait de manière opposée. Elle enchaînait les commentaires sur les réfugiés, en s'apitoyant sur leur sort. Quelques-uns se déplaçaient avec des béquilles, d'autres étaient si âgés qu'ils avaient du mal à marcher ; les morts et les personnes évanouies jonchaient les bas-côtés. Certains avaient été victimes des bombardements aériens, mais la plupart s'étaient tout simplement effondrés après avoir parcouru des centaines de kilomètres, chargés comme des mulets.

— Ça suffit ! s'écria M. Clarke, alors que sa fille lui faisait remarquer au milieu de la foule un militaire britannique avec le bras en écharpe. J'ai des yeux pour voir ! Je n'arrive pas à me concentrer à cause de ton bavardage.

Rosie fit la moue, croisa les bras et regarda droit devant elle. Après quelques minutes de bouderie, elle alla rejoindre Paul à l'arrière. Quand il commença à faire noir, ils tirèrent les rideaux et disposèrent les bagages de façon à pouvoir étendre leurs jambes dans ce vaste habitacle. Certes, ce n'était pas aussi confortable qu'un vrai lit, mais cela n'empêcha pas les deux enfants de s'endormir assez vite.

M. Clarke jeta un coup d'œil derrière lui et sentit monter un sentiment de fierté paternelle. Habituellement, Rosie menait la vie dure à son frère, mais depuis le début de cette aventure, ils s'étaient soudés, comme après le décès de leur mère, un an plus tôt. Paul dormait avec la joue appuyée sur l'épaule de sa grande sœur.

M. Clarke tombait de fatigue, lui aussi, mais la route commençait à se dégager maintenant que les réfugiés s'installaient pour la nuit et il voulait en profiter pour avancer. Vers vingt-trois heures, après avoir parcouru en une heure plus de kilomètres qu'au cours des quatre heures précédentes, il glissa la main dans la poche en cuir de la portière et en sortit une petite boîte en fer-blanc contenant des pilules de benzédrine. Il en goba deux d'un coup. Ce médicament était l'aliment de base des représentants de commerce, des chauffeurs routiers et de tous ceux qui ne pouvaient pas se permettre de dormir.

⁝

À l'aube, la Citroën rejoignit une longue file de véhicules qui attendaient de traverser un pont pour pénétrer dans la ville de Tours. Clarke était satisfait : il avait dépassé de cent kilomètres son objectif initial, Orléans, et il se trouvait maintenant presque à équidistance de Paris et de Bordeaux, où il espérait trouver un bateau pour l'Angleterre.

Hélas, en deux heures, la voiture ne bougea pas d'un centimètre. À l'arrière, les enfants se réveillèrent, et pendant que Paul se précipitait dans les fourrés au bord de la route pour faire pipi, Rosie, elle, joua à la mère de famille en répartissant le pain rassis, la confiture et les dernières tranches de bacon pour le petit déjeuner.

M. Clarke se pencha par la vitre.

— Qu'est-ce qui bloque ? demanda-t-il à un homme efflanqué qui semblait revenir de l'avant de la file.

— C'est l'armée, on dirait. Les Allemands ont bombardé deux des ponts de la ville et le troisième est salement endommagé. Des ingénieurs essayent de le consolider et un convoi militaire attend pour traverser.

— Ce n'est pas bon signe, commenta M. Clarke d'un ton grave. On peut traverser à pied ?

L'homme hocha la tête en faisant bruisser un sac en papier qui contenait deux miches de pain.

— Les gens passent par la voie ferrée, expliqua-t-il. Le centre-ville n'est pas loin. Il reste quelques cafés ouverts. J'ai eu une sacrée chance : je suis arrivé à la boulangerie au moment où elle ouvrait, il y avait moins d'une douzaine de personnes devant moi.

M. Clarke remercia l'homme et se tourna vers ses enfants.

— Apparemment, dit-il, on est coincés ici pour un moment. Si on allait faire un tour en ville ? On pourra peut-être trouver de quoi se nourrir correctement, et si le bureau de poste est ouvert, je pourrai même essayer de joindre Henderson.

— Je croyais qu'il avait quitté l'ambassade pour de bon, fit remarquer Paul.

— Oui, sans doute. Mais j'ai son numéro personnel. J'ai une chance de le joindre chez lui.

— Et la voiture ? demanda Rosie. Tu crois qu'on peut laisser nos affaires ici ? Si jamais les Allemands nous rattrapent ?

— Nous sommes encore sur le sol français, répondit son père en descendant de voiture. Si on verrouille bien les portières, nos affaires devraient être en sécurité pendant une demi-heure. Les Allemands ne nous ont pas suivis quand on a quitté Paris et leurs chances de nous retrouver sont quasiment nulles.

C'était une magnifique matinée, et même si Tours avait été bombardée, les dégâts étaient légers comparés à ceux subis par les villes situées plus au nord. De plus, un certain temps s'était écoulé depuis le dernier raid aérien et l'absence de fumée et d'odeur de brûlé était notable.

Pendant quelques centaines de mètres, Paul put presque s'imaginer que cette marche s'inscrivait dans le cadre d'une excursion de vacances. Hélas, l'illusion fut brisée quand ils quittèrent la route pour gravir un talus rocailleux qui menait à la voie ferrée.

Une vieille dame aux jambes sillonnées d'horribles varices avait réussi à l'escalader avec deux gros sacs, mais l'effort lui avait été fatal et, en arrivant au sommet, elle s'était écroulée. Elle gisait sur le dos, prise de convulsions, pendant que son mari en larmes lui tenait la main et lui épongeait le front avec un mouchoir.

Comme tout le monde, M. Clarke et ses enfants évitèrent de croiser leurs regards en passant. Il était possible d'effectuer des petits gestes charitables – aider à réparer une charrette cassée, porter pendant quelques kilomètres un enfant en pleurs –, mais personne n'avait les moyens de gérer les situations graves et la seule façon de supporter toute cette souffrance, c'était de ne pas la voir.

Une fois que les Clarke eurent franchi la voie ferrée, ils dévalèrent le talus de l'autre côté et un trou dans un grillage leur permit de rejoindre le quartier commerçant, au sud de la ville.

— Dans le temps, il y avait un grand magasin d'appareils électriques par ici, dit M. Clarke en tendant le doigt vers une rue perpendiculaire. La vieille fille qui le tenait ne jurait que par les marques françaises et américaines. Je n'ai jamais réussi à lui vendre le moindre article, à cette vieille toupie !

Paul et Rosie échangèrent un sourire.

Il n'était pas difficile de faire la différence entre les habitants de la ville et les réfugiés qui étaient arrivés jusqu'ici à pied ; ceux-ci n'étaient plus que des silhouettes voûtées et poussiéreuses, affalées dans les cours et les encadrements de porte.

M. Clarke reconnaissait la rue, mais il ne savait pas exactement où elle se situait dans la ville.

— Si je me souviens bien, dit-il, il y a une grande place avec un bureau de poste, dans cette direction.

Mais quelques mètres plus loin, il pénétra dans une rue déserte. Il secoua la tête.

— Non, en fait, c'est par là. J'en suis sûr.

— Tu as déjà dit ça tout à l'heure, souligna Paul.

Alors qu'ils marchaient dans une ruelle piétonnière, ils passèrent devant un minuscule café avec seulement quatre tables et une rangée de tabourets devant le comptoir. M. Clarke flaira l'odeur du café, tandis que le regard de Paul était attiré par les croissants frais empilés sur le comptoir. Ils étaient déjà passés devant deux autres cafés, mais à cause de son emplacement excentré sans doute, celui-ci était le premier à ne pas être fermé ou bondé.

Paul et Rosie se jetèrent sur la seule table libre, pendant que leur père allait commander au bar. Quand il fit remarquer à la patronne que l'addition était exorbitante, celle-ci haussa les épaules et lui expliqua que le café, la farine et le sucre devenaient rares. Les prix avaient flambé, elle rentrait à peine dans ses frais.

Alors que M. Clarke s'asseyait, il perçut un vague bruit sourd et sa tasse trembla dans la soucoupe.

— Vous avez entendu ? demanda Paul.

La réponse fut fournie par le gémissement d'une sirène annonçant une attaque aérienne. Tous les clients du café se redressèrent sur leurs chaises, tandis que la patronne sortait de derrière son comptoir pour s'empresser d'aller verrouiller la porte.

— Sinon, on va être envahis par un flot de réfugiés, expliqua-t-elle à la cantonade.

Pendant qu'elle retournait vers son comptoir, trois jeunes garçons passèrent en courant dans la ruelle, poursuivis par une énorme femme juchée sur une mobylette en bout de course. Amusée par ce spectacle, Rosie donna un petit coup de coude à son frère pour qu'il tourne la tête.

— J'aimerais pas qu'elle s'assoie sur moi, commenta Paul et son éclat de rire chassa la mousse de son lait chaud.

M. Clarke trouvait cette remarque drôle, mais tout le monde dans le café l'avait entendue, et il fut obligé de réprimander ses enfants. Au même moment, une deuxième explosion le projeta vers l'avant et il renversa son café sur ses genoux.

— Ça se rapproche, dit Rosie en prenant dans le distributeur une poignée de serviettes en papier, qu'elle lança à son père par-dessus la table.

Paul dressa l'oreille. La ruelle obscure étouffait les bruits venus d'en haut, mais on entendait nettement les moteurs d'avion maintenant.

— Il y en a plusieurs, on dirait, commenta-t-il d'un ton inquiet.

La troisième explosion, la plus violente, fit vaciller dangereusement l'énorme percolateur derrière le comptoir. Une des soupapes céda et un jet de vapeur jaillit dans un sifflement strident. La patronne enveloppa sa main d'un torchon pour tenter de l'arrêter en tournant un bouton, mais elle ne parvint qu'à se brûler.

Son cri de douleur provoqua l'arrivée d'un homme âgé, venu de derrière.

— Qu'est-ce qui se passe ?

À cet instant, une bombe atteignit une maison à moins de dix mètres de là. Paul, Rosie et leur père furent projetés d'un côté. Le grand store vénitien de la devanture tomba avec fracas et un gros morceau de plâtre se détacha du plafond.

Paul hurla en le voyant tomber. La femme assise à côté d'eux le reçut avec une telle force que son crâne se fendit et son visage heurta la table en produisant un bruit à vous soulever le cœur. Dans la ruelle, un formidable craquement fut suivi d'un déluge de tuiles et de matériaux divers. Les lumières électriques clignotèrent, avant de s'éteindre, tandis que le plateau sur lequel étaient empilés les croissants tombait du comptoir dans un bruit de ferraille. La poussière envahit alors l'atmosphère.

M. Clarke flaira une odeur qui le fit se lever aussitôt.

— Il y a une fuite de gaz !

Il se précipita vers la devanture du café, miraculeusement intacte.

Les autres clients avaient senti le gaz, eux aussi, et un homme s'empressa d'éteindre sa cigarette, pendant que Clarke se débattait avec la porte. Sous l'effet des explosions, la maison avait bougé et l'encadrement en bois de la porte avait joué.

À force d'acharnement, il réussit enfin à décoincer la porte.

— Venez vite ! cria-t-il à ses enfants.

Au moment où Paul, Rosie et les autres clients, à l'exception de la femme qui avait reçu le bloc de plâtre sur le crâne, sortaient du café en file indienne, une autre bombe explosa. Elle était tombée quelques rues plus loin mais l'onde de choc suffit à déloger de nouvelles tuiles.

Paul leva la tête et vit un énorme bloc de briques se précipiter sur lui.

CHAPITRE DOUZE

Pour la première fois de sa vie, autant qu'il s'en souvienne, Marc ne fut pas réveillé par les braillements du directeur ou des orphelins qui sautaient sur son lit. Il était couché sur un sofa, sous une couverture. Il lui fallut un certain temps pour se remémorer comment il avait atterri là ; il fut alors frappé par l'énormité de ce qu'il avait entrepris la veille.

Il se redressa, le corps encore endolori par la correction qu'on lui avait administrée, et il découvrit le pansement qui ornait son genou. Sabine, la serveuse du café, avait utilisé une bande et un gros morceau de coton. Si le résultat était impressionnant, c'était assurément l'œuvre de quelqu'un qui n'y connaissait rien.

Marc se souvint des magnifiques ongles vernis de Sabine et de son sourire éclatant, rouge vif, quand elle lui avait donné le mouchoir pour sécher ses larmes. En se levant du sofa, il posa le pied par mégarde sur un bout de tissu doux et brillant. Il découvrit avec effroi qu'il s'agissait d'un soutien-gorge.

Il l'envoya valdinguer avec son gros orteil et en balayant du regard la petite chambre meublée, il constata que Sabine n'était pas dans son lit. Par contre, ses affaires étaient éparpillées dans tous les coins : un peignoir abandonné sur le sol, une feuille de journal parsemée de rognures d'ongles de pied écarlates, un tapis saupoudré de talc.

Aucun doute : Sabine était une souillon. Marc se leva et vérifia que ses godillots, ses vêtements et son argent n'avaient pas disparu. Puis il avança avec méfiance sur le parquet, à la fois intrigué et horrifié par la vision des sous-vêtements sales de la serveuse.

— Bonjour, champion ! lança Sabine en ouvrant la porte de la minuscule salle de bains.

Marc sursauta. Elle ne portait qu'une culotte et un soutien-gorge en dentelle rouge et il fut submergé par une poussée de désir teinté de gêne. Les seules jeunes femmes qu'il connaissait étaient les religieuses de l'orphelinat et même si, par extraordinaire, l'une d'elles était apparue sans son habit, Marc doutait fort qu'elle portât ce genre de sous-vêtements.

— Vous... vous voulez votre peignoir ? bredouilla-t-il en ramassant le vêtement par terre, renversant au passage une tasse au fond de laquelle des cendres de cigarette trempaient dans un reste de café.

— Tu es un vrai gentleman ! dit-elle, pendant que Marc redressait la tasse.

Quand Sabine s'approcha pour prendre le peignoir, ses seins se retrouvèrent au niveau du visage de Marc.

Il ne savait plus où poser les yeux et il rougissait tellement qu'il avait peur que sa tête fonde.

— Vous êtes la première à me traiter de gentleman.

— Et toi, tu es le premier homme qui m'encourage à me rhabiller, répliqua Sabine en riant. Comment va ton genou ?

— Bien, je crois, dit-il avec un grand sourire, soulagé quand elle enfila enfin son peignoir. Vous m'avez fait un beau pansement.

— Tu trouves ? Je n'en avais jamais fait. Dans un instant, on va pouvoir descendre au café prendre le petit déjeuner. Ensuite, j'essaierai de te trouver un moyen de locomotion pour que tu puisses rejoindre ton... Qui ça, déjà ?

— Mon oncle, mentit Marc. Il faut que j'aille le retrouver à Paris. Peut-être que je pourrais retourner à la gare voir s'il y a un train.

Le garçon tressaillit quand Sabine s'assit au bord de son lit pour enfiler ses bas.

— Pas besoin de prendre le train. Il y a toujours un tas de soldats et de chauffeurs routiers qui s'arrêtent au café. Je leur raconterai que tu es mon petit neveu et je leur demanderai de t'emmener.

— J'ai de l'argent.

Sabine sourit.

— Ne t'inquiète pas pour ça. Une bière gratuite, un coup d'œil dans mon décolleté et ils t'emmèneront en Mongolie extérieure si je leur demande.

— Vous croyez? demanda Marc, mais il n'en doutait pas une seule seconde.

Il savait bien que les filles aussi jolies que Sabine pouvaient vous mener par le bout du nez.

Il était neuf heures et le café en bas accueillait déjà du monde. Sabine étant de congé, elle s'assit à une table en compagnie de Marc et ils mangèrent des croissants avec de la confiture. Quand ils furent rassasiés, elle avisa en terrasse deux officiers de la police militaire, bruyants et chahuteurs. Elle fit pigeonner sa poitrine et leur raconta une histoire à vous fendre le cœur : son petit neveu devait se rendre à Paris pour retrouver ses parents, mais il n'avait pas de quoi prendre le train.

Après être remonté précipitamment dans la chambre pour récupérer ses affaires et avoir embrassé Sabine, Marc grimpa à l'arrière d'un camion militaire crasseux recouvert d'une bâche. Il devait partager l'espace avec un amas brinquebalant de casques et de fusils, une caisse de bouteilles de cidre qui s'entrechoquaient et deux bergers allemands crottés à l'air féroce, mais qui semblaient espérer que le voyage s'effectue sans histoires.

À l'avant, le chauffeur prenait un malin plaisir à faire rugir son klaxon pour obliger les réfugiés à s'écarter de son chemin. C'était cruel, mais Marc ne pouvait s'empêcher de rire quand l'autre homme se penchait par la vitre et criait « Dix points ! » si une vieille femme tombait ou « Vingt-cinq ! » pour une charrette lourdement chargée qui basculait dans un fossé.

— Des paysans, dit le soldat qui tenait le volant après s'être arrêté pour uriner sur la roue arrière. *(Son accent snob trahissait un milieu favorisé.)* La France, c'est de la merde ; la guerre, c'est de la merde. Tout est de la merde !

— Vive la France de merde ! brailla son compagnon à l'avant du camion.

Le chauffeur demanda alors à Marc de lui passer quatre bouteilles de cidre, en l'autorisant à en garder une pour lui. Marc avait déjà bu de l'alcool une ou deux fois, mais il se disait que ce n'était pas recommandé d'être ivre pour débarquer dans une ville inconnue.

Après avoir repris le volant, l'homme conduisit de manière encore plus fantasque, en zigzaguant dangereusement. Mais surtout, il roulait plus vite et Marc, qui était violemment ballotté à l'arrière, ne trouvait plus ça amusant. Les chiens eux-mêmes se redressèrent sur leurs quatre pattes et se mirent à racler le sol en poussant des aboiements furieux.

— Ralentissez ! cria le garçon en cognant à l'arrière de la cabine. Vous allez nous tuer !

Le passager le regarda par le petit carreau. Du cidre coula au coin de sa bouche quand il sourit.

— C'est quoi, ton problème ? cria-t-il. À ton avis, que feront les Boches s'ils nous attrapent, hein ? Tu n'as pas encore pigé, petit ? On est *déjà* morts !

Dans un virage, le camion décolla d'un côté, puis retomba brutalement, secouant la colonne vertébrale de Marc et brisant les bouteilles de cidre restantes. Il ne voyait pas grand-chose de la route à travers la vitre de la cabine mais, en sentant qu'ils freinaient violemment, il eut le réflexe de s'accrocher à l'une des barres sur lesquelles était fixée la bâche. Après un bref dérapage, ils quittèrent la route et le camion cahota sur les pierres qui cognèrent contre le plancher métallique.

Par bonheur, ils s'arrêtèrent en douceur lorsque le véhicule percuta un épais buisson. Marc tremblait comme une feuille et il avait le souffle coupé, heureusement il n'était pas blessé. Il doutait fort que le chauffeur soit en état de repartir, mais il ne voulait courir aucun risque et, alors que les deux chiens se relevaient difficilement, il prit son sac et sauta hors du camion.

Il atterrit dans un enchevêtrement de racines déterrées par le camion. Trente mètres plus loin, il voyait la route sur laquelle avançait une colonne de véhicules militaires découverts transportant des soldats et des pièces d'artillerie tirées par des chevaux. C'était ce convoi que le chauffeur avait tenté d'éviter en faisant une embardée.

Un officier avançait vers Marc, arme au poing, suivi de trois de ses hommes. Pendant ce temps, un deuxième groupe se faufilait entre les arbres pour atteindre l'avant du camion.

— Mains en l'air! cria l'officier. Qu'est-ce que ça veut dire?

Marc était terrorisé par l'arme qui le menaçait.

— Je voyageais à l'arrière, c'est tout, expliqua-t-il d'une voix tremblante. Ils sont devenus fous.

Alors que les soldats ouvraient les portières du camion pour extraire le chauffeur et son compagnon, un des bergers allemands hébétés sauta par-dessus le hayon et émit un aboiement pitoyable.

— Une grande branche a traversé le pare-brise, mon capitaine! cria un des soldats à l'avant du véhicule. Le chauffeur est mort, c'est certain. Et l'autre type est salement amoché.

L'officier secoua la tête.

— Des ivrognes, cracha-t-il. Sûrement des déserteurs. Ils nous ont déjà fait perdre assez de temps. Allons-nous-en.

— Vous allez à Paris? demanda Marc. Vous pouvez m'emmener?

Il crut que la tête de l'officier allait exploser.

— Fous-moi le camp, toi! On est l'armée française, pas une compagnie de taxis!

Toutefois, un des soldats de deuxième classe se montra plus compréhensif.

— Tu n'es plus qu'à quelques kilomètres de la capitale et nos chevaux sont fatigués. Tu as tout intérêt à continuer à pied.

— Et les chiens, mon capitaine? demanda l'autre soldat. On les emmène?

— Qu'est-ce que je ferais de deux bâtards pouilleux? brailla l'officier. Abattez-les. Et si vous pensez que l'autre saligaud n'a aucune chance de s'en tirer, abrégez ses souffrances également.

Un des soldats prit son fusil et abattit le berger allemand d'une balle dans la tête. Le deuxième chien, resté dans le camion, était plus difficile à atteindre et la première balle le toucha au ventre. Il poussa des cris stridents pendant plusieurs secondes avant qu'un nouveau tir mette fin à son supplice.

Alors qu'il retournait vers la route en titubant et en tremblant de peur, Marc s'attendait à entendre un quatrième coup de feu. Mais, malgré l'ordre de l'officier d'achever l'homme blessé, il ne vint pas.

CHAPITRE TREIZE

Paul s'accroupit contre la façade d'un immeuble et se protégea la tête avec ses bras, tandis que tout dégringolait autour de lui. Un gigantesque bloc de pierres heurta le mur d'en face et rebondit pour finalement s'écraser à moins de deux mètres de l'endroit où le jeune garçon était tapi. Des débris gros comme des galets le bombardèrent.

— Papa ? cria-t-il.

Il entrouvrit les yeux, mais fut obligé de les refermer aussitôt à cause des tourbillons de poussière. Le pire était passé, mais quelques briques continuaient à se détacher et à tomber. Une femme poussa un cri effroyable. Heureusement, ce n'était pas Rosie, pensa Paul.

Une seconde plus tard, il sentit qu'on le tirait par le bras. À demi aveuglé, la bouche pleine de poussière, M. Clarke entraîna son fils vers les premiers rayons de soleil qui se faufilaient à l'extrémité de la ruelle.

— Tu as vu ta sœur ? lui demanda-t-il.

Pris d'une violente quinte de toux, Paul ne put répondre.

— Rosie ! s'écria M. Clarke.

La jeune fille avait pris ses jambes à son cou ; elle se tenait maintenant à l'entrée de la ruelle, en meilleur état que son père et son frère. Les avions allemands continuaient à vrombir pendant que Paul s'obligeait à ouvrir les yeux. Il dut battre des paupières pour chasser les gravillons. Tous les trois avaient débouché sur une place animée, envahie par la poussière, les flammes et la panique. Quand Paul retrouva la vue, il découvrit les étals dévastés. Toutes les fenêtres des maisons avaient volé en éclats et un cheval couché sur le flanc se débattait furieusement. Ses pattes arrière étaient gravement brûlées et il était cloué au sol par les restes de la charrette carbonisée à laquelle il était harnaché.

Rosie regarda d'un œil inquiet la manche de chemise déchirée et maculée de sang de son frère.

— Montre-moi ta main.

Paul la leva et constata qu'elle était zébrée de plaies. Il ne s'en était même pas aperçu ; il faut dire que les gravillons dans les yeux étaient beaucoup plus douloureux.

— Il faut trouver de l'eau pour nettoyer tout ça, déclara Rosie. Tu es blessé à la tête également.

Effectivement, Paul avait une sensation de brûlure juste au-dessus de l'oreille. Il palpa son crâne du bout des doigts, jusqu'à ce qu'il trouve la plaque de cheveux collés par le sang.

— Ah, c'est malin ! s'exclama Rosie. Tu vas infecter la plaie avec tes mains sales !

— Qu'est-ce qu'on fait maintenant ? demanda Paul en se tournant vers son père, sans se soucier de la remarque de sa sœur.

M. Clarke paraissait hébété.

Un horrible gémissement déchira l'air : un homme hissait sur son dos une vieille femme qui avait eu le visage et le torse déchiquetés par des débris de verre. Un autre homme réclamait une arme pour mettre fin aux souffrances du cheval blessé.

— Tu as un pistolet, toi, dit Rosie en donnant un petit coup de coude à son père.

— Ne sois pas idiote, voyons ! Un étranger qui se promène avec un pistolet allemand. Tu veux que je me fasse arrêter ?

La jeune fille trépigna.

— Ne reste pas planté là, papa ! Qu'est-ce qu'on fait ?

— J'essaye de réfléchir... marmonna M. Clarke. Vous vous souvenez du chemin pour retourner à la voiture ?

— La ruelle est bloquée par les gravats, fit remarquer Paul.

— Je suis sûre que je peux trouver un autre moyen de regagner le fleuve, dit Rosie.

— Très bien, dit son père.

Il montra le bureau de poste de l'autre côté de la place.

— Ramène ton frère à la voiture et sers-toi de ma trousse de premiers soins pour nettoyer ses blessures. Pendant ce temps, je vais essayer de joindre Henderson à Paris et d'acheter du pain.

M. Clarke sortit son portefeuille et donna à sa fille un billet de dix francs.

— Tiens. Au cas où vous trouveriez un endroit qui vend du pain, ou n'importe quoi d'autre à manger qui vous fasse envie.

— Et si on achète la même chose ?

— Peu importe. Avec les Allemands qui détruisent toutes les routes et les ponts, les vivres ne vont pas tarder à manquer. Je préfère qu'on ait trop à manger que pas assez. Partez devant, je vous rejoins à la voiture dans une vingtaine de minutes.

— Peut-être qu'on ferait mieux de rester ensemble, dit Paul. Ma main ne me fait pas si mal que ça.

Sa sœur constata que les avions avaient disparu, alors que le vrombissement des moteurs s'amplifiait. Cela ne pouvait signifier qu'une seule chose : les pilotes allaient passer en rase-mottes au-dessus des toits pour une attaque à la mitrailleuse. De fait, les gens qui se trouvaient sur la place se précipitèrent à l'abri et des cris retentirent lorsqu'un chasseur frôla le drapeau qui coiffait un petit bâtiment administratif et ouvrit le feu.

Les projectiles, qui voyageaient à deux cents kilomètres-heure, traversèrent la place en moins de trois secondes. La plupart frappèrent les pavés et ricochèrent dans tous les sens, en conservant assez de force pour

tuer. D'autres criblèrent des étals, des voitures trans-
formées en passoires et parfois des corps humains.

Paul sentit son cœur remonter dans sa gorge quand
il plongea dans l'embrasure d'une porte entre deux
boutiques. Son père et sa sœur lui tombèrent dessus.
Il leva la tête pour voir ce qui se passait, mais son père
l'obligea à se baisser.

— Ce n'est pas fini !

En effet, au cours des trente secondes suivantes,
trois autres avions survolèrent la place à basse alti-
tude en faisant rugir leurs mitrailleuses, déclenchant
une nouvelle vague de hurlements. Il y eut plusieurs
blessés, et même des morts, mais au moins, le cheval
cessa de souffrir.

Une fois les chasseurs partis, un silence pesant,
poussiéreux, s'abattit sur la ville. En levant les yeux,
Paul découvrit un impact de balle dans le mur, à moins
de trente centimètres au-dessus d'eux.

— On l'a échappé belle, commenta Rosie, au bord
des larmes, les mains tremblantes.

À quelques mètres de là, un garçon de cinq ou six
ans était recroquevillé sous les tréteaux rouillés d'un
étal.

— Cette place est trop dégagée, dit M. Clarke. Un
vrai stand de tir. Empruntez les petites rues pour
retourner à la voiture.

Une nouvelle rafale de mitrailleuse résonna au loin ;
un homme âgé, un réfugié visiblement, son manteau
sur la tête, se balançait d'avant en arrière en hurlant :

— Je n'en peux plus ! Je n'en peux plus...

— Papa, tu as du sang sur ta chemise, fit remarquer Rosie.

M. Clarke baissa les yeux et découvrit effectivement un rond rouge, de la taille d'une pièce de monnaie, sur le côté droit de sa poitrine.

— Sûrement un éclat d'obus, expliqua-t-il. Rien de grave.

Très haut dans le ciel, au-dessus d'eux, un avion plongeait en piqué.

— Un Stuka ! s'écria M. Clarke.

Il saisit la main de sa fille.

Craignant les chutes de pierres ou de tuiles, il évita de retourner dans la ruelle et entraîna ses enfants à l'autre bout de la place pavée. Ils atteignirent une rue perpendiculaire juste au moment où explosaient les trois premières bombes. Deux d'entre elles s'abattirent sur la place du marché, déchiquetant un grand nombre de personnes déjà blessées ainsi que celles qui tentaient de les traîner à l'abri. La troisième frappa les marches de la mairie, pulvérisant l'entrée et creusant dans la façade un trou béant qui laissait voir les bureaux et les meubles de classement dans les étages.

Les Clarke s'engouffrèrent dans la rue, pourchassés par la poussière et une odeur écœurante de viande brûlée. Rosie comprit qu'il s'agissait de chair humaine, mais elle savait qu'elle devait chasser cette pensée de son esprit si elle ne voulait pas s'effondrer.

— Et le petit garçon sous l'étal? demanda Paul, inquiet. L'un de vous deux l'a vu après le…

Avant qu'il puisse achever sa phrase, son père s'immobilisa, provoquant la colère d'une femme qui courait derrière eux en poussant un landau. M. Clarke avait sorti son mouchoir pour cracher dedans.

— Ça ne va pas? s'inquiéta Paul.

— C'est à cause de la poussière, dit Rosie en mettant sa main devant ses yeux.

Mais quand son père éloigna son mouchoir de sa bouche, il aspergea sa fille de sang.

— Oh, mon Dieu! s'exclama-t-elle. Papa!

À chaque inspiration, son père tentait d'avaler de l'air, mais sa gorge était obstruée par le sang et la tache rouge sur sa poitrine avait maintenant la taille d'une assiette.

— Qu'est-ce qui se passe? demanda Paul, pendant que Rosie prenait leur père par le bras pour l'aider à s'asseoir au bord du trottoir.

— C'est sûrement… plus profond, dit M. Clarke d'une voix rauque en contemplant sa blessure avec impuissance.

— C'est juste à l'endroit du cœur… ou du poumon… ou je ne sais quoi, dit Rosie.

Elle jeta des regards affolés autour d'elle. En voyant courir tous ces gens, elle comprit que leur tragédie n'était pas unique.

— Henderson… haleta leur père. Trouvez-le… Donnez-lui les documents.

125

— Non, tu ne vas pas mourir, papa! dit Paul sans grande conviction.

M. Clarke mit à profit ses dernières forces pour regarder son fils et articuler le mot « désolé » avec ses lèvres ensanglantées.

— Papa! hurla Rosie en le secouant. Tiens bon. On va trouver quelqu'un qui…

Mais soudain, M. Clarke abandonna toute résistance et sa tête bascula en arrière. Ses yeux sans vie regardèrent la fillette, figés et vitreux, semblables à deux agates.

CHAPITRE QUATORZE

Paul et Rosie ne pouvaient y croire. C'était si tragique et brutal. Ils avaient l'impression qu'un aimant géant les empêchait de bouger. Ils se regardaient puis regardaient leur père, comme pour vérifier, encore une fois, qu'il était réellement mort.

Plusieurs minutes s'écoulèrent. La poussière provoquée par les explosions retomba et les avions s'éloignèrent au-dessus de la campagne environnante. Paul et Rosie restaient muets. Il fallait que leurs premières paroles parviennent à exprimer leur stupeur et leur peine, mais ils ne trouvaient pas les mots.

En temps normal, il y aurait eu la police, une ambulance, un téléphone mais, après tout ce qu'ils avaient vu aujourd'hui, ils savaient que les règles habituelles ne s'appliquaient plus. Ils avaient déjà enjambé la mort et détourné le regard devant la souffrance des autres. Maintenant, c'était à leur tour de rester assis sur le bas-côté de la route.

— J'ai perdu ma maman, dit un petit garçon.

C'était le gamin que Paul avait vu caché sous l'étal. Il ne devait pas avoir plus de six ans ; il était à ce point couvert de poussière qu'on aurait dit une statue. Rosie voulut lui dire de ficher le camp, mais finalement, cette diversion était la bienvenue.

— Où l'as-tu vue pour la dernière fois ? lui demanda-t-elle d'une voix douce.

— Je sais pas, dit l'enfant.

Les regards remplacèrent les mots.

Ses yeux semblèrent demander s'il pouvait s'asseoir avec eux au bord du trottoir ; Rosie répondit par un hochement de tête.

— Je m'appelle Hugo.

— Et tu habites Tours ?

— Hugo Charmain, septième arrondissement de Paris, déclara l'enfant solennellement.

Il sortit une ficelle de sous sa chemise. Une étiquette était attachée avec son nom et son adresse.

— Tu étais juste avec ta maman ? demanda Paul.

Hugo hocha la tête d'un air triste, avant de regarder M. Clarke.

— Mon papa se bat pour la France. C'est le vôtre ?

— Oui, dit Rosie.

— Pourquoi il est mort ?

Ni Paul ni Rosie ne répondirent à cette question.

La place bombardée se trouvait à moins de trente mètres de là. Plusieurs petits feux s'étaient transformés en un gigantesque brasier et des réfugiés bravaient la fumée pour récupérer des charrettes à bras et des valises abandonnées.

Paul regarda sa sœur avec gravité.

— Qu'est-ce qu'on va faire maintenant ?

— Je... (*Rosie s'interrompit pour réfléchir.*) Il faut rester calme. On va devoir laisser papa ici, mais on va prendre son argent et tous ses objets de valeur afin que personne ne les vole. Ensuite, on retournera chercher les documents dans la voiture.

— Tu l'as déjà conduite ? demanda son frère. Tu crois que tu en es capable ?

Rosie secoua la tête.

— J'ai regardé papa conduire, mais je n'ai jamais rien compris.

— Comment on va faire pour aller dans le sud, alors ? demanda Paul, inquiet.

— Il va falloir improviser. À pied, peut-être. Mais ça risque de prendre des jours et ces documents pèsent une tonne. À moins qu'on ne trouve quelqu'un qui sache conduire mais qui n'a pas de voiture. Et qui pourrait nous emmener.

— Oui, pourquoi pas. Mais avant, il faut essayer d'appeler Henderson.

Rosie acquiesça.

— Sauf que papa n'a pas réussi à le joindre hier, dit-elle. Et je ne suis même pas sûre qu'il ait noté son numéro quelque part.

— Peut-être que si on reste ici, Henderson partira à notre recherche et nous trouvera.

Rosie fit claquer sa langue.

— Ne sois pas idiot ! Il y a environ un million de personnes sur les routes. Comment veux-tu qu'il nous retrouve ?

— Je ne sais pas. Je pourrais dessiner une grande pancarte ou un truc comme ça.

Sa sœur secoua la tête d'un air méprisant.

— Il ne sait même pas que papa est mort. Nous sommes livrés à nous-mêmes, voilà tout.

— D'accord, d'accord ! s'emporta Paul. Je réfléchissais à voix haute.

— De plus, il faut rester discrets, ajouta Rosie. Si ça se trouve, les agents allemands sont à nos trousses.

Cette suite d'événements était si accablante que Paul avait oublié qu'elle avait débuté par l'apparition d'un agent allemand dans sa chambre, moins de vingt-quatre heures plus tôt.

— Tu crois que la police nous cherche aussi ? demanda-t-il.

— Ils ont certainement découvert les cadavres dans l'appartement. Il va y avoir une enquête, mais avec un peu de chance, ils auront d'autres chats à fouetter.

— Je vais chercher ma maman, déclara Hugo.

Il se leva soudainement et s'élança en direction de la place.

Il y avait dans ses paroles une candeur qui noua la gorge de Rosie. À l'entendre, on avait l'impression qu'il partait au square pour jouer au ballon. Comment réagirait-il s'il découvrait sa mère grièvement blessée ?

Rosie aurait voulu l'aider, mais elle était engluée dans ses propres problèmes et Hugo disparut dans la fumée en quelques secondes seulement.

Elle entreprit de déboutonner la veste de son père pour sortir son calepin et son portefeuille.

— Paul, retire-lui sa montre et ses bagues.

Paul n'avait jamais touché un mort. Il voulut protester : prendre un portefeuille dans une poche, c'était moins effrayant que de retirer les bagues d'un cadavre.

— Peut-être qu'on devrait le laisser en paix, suggéra-t-il. Par respect.

Cette remarque eut pour effet d'exaspérer Rosie et de raviver son tempérament autoritaire.

— Toi, je ne sais pas, Paul. Mais personnellement, je n'ai ni compte en banque ni chéquier. Une bague ou une montre, ça peut nous permettre d'acheter de la nourriture ou de l'essence en chemin.

— OK. Pas la peine de hurler !

En vérité, il n'était pas mécontent d'être en colère après sa sœur ; cela lui permettait de se concentrer sur autre chose pendant qu'il ôtait les bagues des doigts de son père mort.

Il fallut moins d'une minute au frère et à la sœur pour récupérer tous les objets de valeur.

Rosie se redressa et tendit le pistolet à Paul. Il y avait quelque chose d'incongru dans ce geste, car elle était plus âgée et plus énergique que lui.

— Que veux-tu que je fasse de ça ? demanda-t-il en fronçant les sourcils.

— Glisse-le dans ton pantalon. Je te signale que je porte une robe légère. Où veux-tu que je mette ce pistolet, hein ?

Paul coinça l'arme dans sa ceinture et rabattit sa chemise par-dessus pour cacher la crosse.

— En route, déclara Rosie d'un ton sec.

— Et papa ?

— Tu peux rester là à te lamenter si tu veux. Moi, je n'ai pas l'intention d'attendre que les avions reviennent.

Paul était outré.

— Comment peux-tu être insensible à ce point ?

Rosie le saisit par le col de sa chemise et l'attira brutalement vers elle.

— Je ne suis pas insensible ! Tu crois que ça m'amuse tout ça, hein ? Tu ne crois pas que j'ai envie de m'asseoir sur le trottoir pour pleurer toutes les larmes de mon corps ? Hélas, les bombes qui tombent du ciel sont bien réelles, Paul. Les armées allemandes qui marchent vers nous aussi. Il faut qu'on soit forts car les faibles meurent autour de nous et tout le monde s'en fout.

Une larme coula sur la joue de Rosie lorsqu'elle repoussa son frère.

— Ça y est, tu m'as fait pleurer ! lança-t-elle en se penchant pour déposer un baiser sur le front de son père. Je n'ai plus le courage de le regarder.

Après cet ultime baiser, elle s'éloigna. Très vite, Paul ôta la pochette ensanglantée de la chemise de son père. Il la déplia d'un petit mouvement sec et la lui étendit sur le visage. Le vent l'arracherait certainement, mais c'était le seul geste digne qui lui venait à l'esprit.

Il se disait qu'il ne reverrait jamais ce visage maintenant dissimulé par le carré de soie. Pendant un instant, il crut qu'il allait faire dans son pantalon, mais il parvint à se relever pour courir après sa sœur.

— Rosie !... Rosie ! Attends !

∴

Il est difficile de penser quand vous marchez vite et Rosie ne voulait penser à rien justement. Plus petit et moins robuste qu'elle, Paul avait du mal à suivre le rythme, mais il savait qu'il devait s'accrocher car sa sœur était tout ce qu'il lui restait au monde.

L'armée avait étayé le pont endommagé, et bien qu'ils fussent partis depuis moins d'une heure, la longue file de véhicules se résumait à présent à un convoi clairsemé de chevaux, de charrettes à bras et d'êtres humains crasseux.

— Où elle est passée ? s'écria Paul en approchant du virage dans lequel ils étaient sûrs d'avoir laissé la Citroën.

Rosie, qui marchait vingt mètres devant lui, avait déjà aperçu la silhouette de leur voiture derrière deux arbres. Dans un fossé. Elle se précipita, le souffle coupé. Elle remarqua la grosse bosse à l'arrière, là où un véhicule plus haut, un camion sans doute, l'avait percutée pour l'expédier dans le décor.

— Elle est abîmée ? demanda Paul, essoufflé, en rejoignant sa sœur. Comment on va la sortir de là ?

En faisant le tour de la voiture, Rosie sentit une forte odeur d'essence et vit la tache sombre dans la terre, juste à côté du bouchon du réservoir.

— Ils ont siphonné notre essence ! s'exclama-t-elle. Nous qui comptions demander à quelqu'un de nous emmener, c'est fichu !

— Merde ! pesta Paul en se tapant sur les cuisses.

Il jeta un coup d'œil à l'intérieur et ajouta :

— Apparemment, ils n'ont rien pris.

Rosie ouvrit le coffre avec la clé. En effet, leurs bagages étaient toujours là.

— Peut-être qu'on pourrait acheter de l'essence en ville, suggéra Paul en ouvrant la portière arrière.

L'odeur du cuir craquelé et de l'eau de toilette de son père lui semblait appartenir à la vie de quelqu'un d'autre.

— Ça m'étonnerait, répondit sa sœur. Depuis Paris, je n'ai pas vu une seule station-service ouverte.

— Et la montre de papa ? Elle est en or, elle doit valoir beaucoup plus qu'un bidon d'essence.

Rosie haussa les épaules d'un air abattu.

— Dans les circonstances présentes, je doute qu'on puisse acheter un bidon d'essence même si le coffre était bourré de billets de mille francs. Et puis, je crois que sa montre ne vaut pas grand-chose. Papa avait un bon travail et on vivait mieux que beaucoup de gens, mais on n'est pas millionnaires, tu sais.

Quand il était petit, Paul s'était souvent fait gronder parce qu'il jouait avec la montre de son père et il avait toujours cru qu'elle possédait une valeur extraordinaire. Aujourd'hui, il découvrait qu'il s'agissait d'une simple montre en plaqué or cabossée.

— Qu'est-ce qu'on va faire, alors ?

Rosie haussa les épaules une fois de plus.

— Une chose est sûre : on ne peut pas rester ici. Quelqu'un risque de voler ce qui se trouve dans la voiture.

— Papa l'adorait, cette voiture, dit Paul tristement.

— On ne va pas la porter sur notre dos ! De toute façon, il aurait été obligé de l'abandonner ou de la vendre pour une bouchée de pain quand on serait arrivés à Bordeaux.

— Oui, mais…

— Rassemblons tout ce qu'on peut emporter. Les bijoux de maman, quelques vêtements et les documents. Ensuite, on retournera en ville et on essaiera d'appeler Henderson. Si ça ne marche pas, on partira vers le sud, à pied. On est en bonne santé, on devrait pouvoir marcher pendant quatre ou cinq jours.

— Oui, sûrement, soupira Paul. J'espère simplement que les chars allemands n'arriveront pas avant nous.

CHAPITRE QUINZE

Marc avait l'impression qu'il allait se réveiller. Il était plongé dans un de ces rêves intenses d'où l'on sort couvert de sueur, en mettant plusieurs secondes à comprendre que ce n'était pas la réalité. Mais Paris était bien réel.

Pendant une heure, il sillonna la capitale. Il suivait parfois de larges boulevards où les voitures arrêtées au feu rouge étaient plus nombreuses que celles qu'il voyait passer en une semaine devant l'orphelinat. D'autres rues plus étroites étaient encombrées de cageots et de poubelles qui débordaient ; une forte odeur d'urine flottait dans l'air.

Au gré de ses déambulations, il croisa plusieurs bouches de métro, mais il n'avait jamais pris ce moyen de locomotion et il craignait de se ridiculiser ou de se perdre.

La réalité de la guerre était omniprésente : il y avait des sacs de sable empilés devant les fenêtres, des batteries antiaériennes installées sur les places et des avions allemands qui volaient en rase-mottes. Le soir précédent, Marc avait assisté au plus grand bombardement depuis le début de la guerre et la capitale était coiffée d'un nuage de cendre et de fumée qui enveloppait le soleil. Mais l'immensité de la ville semblait diminuer les probabilités d'être abattu ou bombardé.

Toute sa vie, Marc avait rêvé de fuguer pour se rendre à Paris, mais plus il en parcourait les rues, plus le poids de la réalité le démoralisait. Bien qu'il ait pris un petit déjeuner copieux, la faim ne tarderait pas à se manifester de nouveau. Il aurait besoin de déjeuner, de dîner, de trouver un endroit pour dormir ; il lui faudrait des vêtements propres et l'argent finirait par s'épuiser. Il serait obligé de trouver un travail, de voler ou…

Mais tout cela, il le savait dès le départ, et finalement il trouvait qu'il ne s'était pas si mal débrouillé jusqu'à présent. En approchant du cœur de la capitale, il devina que celui-ci serait sans doute plus peuplé et intimidant que les faubourgs. Aussi décida-t-il de trouver de quoi se nourrir et se loger dès qu'il arriverait dans un quartier correct.

Il tomba sur une petite rue commerçante, dans le nord, comme il en existait des centaines à Paris ; un endroit où les gens faisaient leurs courses, achetaient le journal, déposaient leur linge sale chez le teinturier et discutaient dans les cafés.

Marc s'arrêta devant la façade imposante d'un cinéma, ornée des affiches d'un film américain en couleurs. Hélas, à cette heure, les grilles étaient encore baissées. À l'orphelinat, pour Noël, les religieuses installaient un projecteur et les garçons avaient le droit de regarder des comédies muettes, mais Marc n'avait jamais mis les pieds dans un vrai cinéma et cette perspective l'excitait. À côté se trouvait un café, assez grand, mais quasiment vide. Après avoir hésité quelques secondes, le jeune garçon y entra. La serveuse, une femme à l'aspect misérable, lui jeta un coup d'œil et décréta que la tête de Marc ne lui revenait pas.

— Réfugié ? lança-t-elle d'un ton méprisant.

Marc acquiesça. Inutile de nier : il était crasseux de la tête aux pieds, après le trajet tumultueux dans le camion militaire, et tous les enfants qui vivaient encore à Paris étaient à l'école à cette heure-ci.

— Tu as de l'argent ? demanda-t-elle en se dressant sur son chemin avant qu'il puisse s'approcher d'une table.

Marc sortit d'une de ses poches de pantalon une petite liasse de billets. (Sabine lui avait conseillé de répartir son argent entre son sac et ses différentes poches pour ne pas risquer de tout perdre d'un coup.)

La femme fronça le nez et tira une chaise glissée sous une table.

— C'est trop tôt pour le déjeuner, mais je peux te préparer une assiette.

Marc hocha la tête et demanda :

— Vous voulez bien me remplir ma bouteille ?

La femme soupira comme si on lui réclamait la lune, mais elle finit par prendre la bouteille vide, d'un geste brusque. Les seuls autres clients étaient assis trois tables plus loin. Au grand soulagement de Marc, la sinistre serveuse retourna s'asseoir dans son coin et alluma une cigarette. Son repas et sa bouteille d'eau lui furent apportés par un bonhomme taillé comme une barrique. À côté d'un bol de soupe dans lequel flottaient des morceaux de viande filandreuse, il y avait des morceaux de pain et des tranches de fromage.

— D'où que tu viens ? lui demanda le gros type en passant sa main épaisse dans sa barbe.

Marc se sentait mal à l'aise. À l'orphelinat, les seuls hommes qu'il avait côtoyés étaient M. Thomas et deux instituteurs dont la férocité n'avait rien à envier à celle du directeur.

— Des environs de Beauvais, monsieur, répondit-il poliment en plongeant une cuillère dans sa soupe.

Un frisson le parcourut. Aurait-il mieux fait de mentir ?

— Beauvais ? répéta l'homme, visiblement intrigué. Y a combien de temps ? Ça se passe comment là-bas ?

— Je suis parti ce matin très tôt. Il y a plein d'avions et des bombardements réguliers.

— Et l'artillerie ? Pardon de t'embêter avec ça, mais les infos qu'ils donnent à la radio, c'est de la merde !

Marc ne put s'empêcher de sourire en entendant ce gros mot et il se détendit légèrement. L'homme voulait juste savoir quand il allait trouver des Allemands devant sa porte.

— Moi, dit le jeune garçon, je n'ai pas vu ni entendu de tirs d'obus, mais il paraît qu'il y en a eu.

L'homme hocha la tête d'un air solennel.

— Des tirs d'artillerie, ça veut dire que les Boches sont à moins de vingt kilomètres. Tu as vu des troupes battre en retraite ?

— Quelques-unes.

— À mon avis, ils seront à Paris avant cinq jours, une semaine au grand maximum.

— Vous allez partir ?

— J'aimerais bien, répondit l'homme en souriant. *(Il agita le pouce en direction de la serveuse à la mine lugubre.)* Mais ma bourgeoise n'est pas d'accord.

Celle-ci leva les yeux de son magazine et beugla dans le café :

— Je préfère encore être bombardée par les Boches plutôt que d'aller vivre dans ta famille !

L'homme se pencha vers Marc et plaça sa main devant sa bouche, avec des mines de conspirateur.

— Je vais te donner un conseil, mon gars, chuchota-t-il. Te marie jamais.

Marc sourit. Il se sentait beaucoup plus à l'aise qu'en entrant et il se risqua à poser une question :

— Vous connaissez un endroit où je pourrais loger ?

L'homme haussa un sourcil.

— Je croyais que tu descendais dans le sud.

Marc haussa les épaules.

— Oui, bien sûr. Après…

— Mais tu dois pas retrouver quelqu'un ?

— Si, si, mentit Marc. J'ai un oncle qui vit dans le sud. Mais je préfère dormir le jour. C'est moins dangereux de se déplacer la nuit et c'est plus facile pour se cacher.

— Ah, ah, fit l'homme. Judicieux. Tu pourras peut-être trouver un lit pour la journée à la pension Raquel. C'est vétuste et plutôt mal fréquenté. Des Russes et des Polonais principalement. Mais c'est pas cher et je pense qu'ils accepteront un gamin si tu paies d'avance.

Marc hésitait.

— Vous me recommandez cet endroit ?

Le gros type s'esclaffa.

— Je te recommanderais plutôt le *Ritz !* Mais à voir comment tu es fagoté, je pense pas que tu aies les moyens de te payer une chambre à cinq mille francs.

— Vous avez raison.

Marc sourit en finissant son bol de soupe et son morceau de pain.

Après avoir pris l'argent du garçon, l'homme déchira une feuille du calepin glissé dans son tablier et lui dessina un plan pour se rendre à la pension Raquel.

— Merci beaucoup, monsieur.

Marc jeta un coup d'œil au plan pour voir s'il était compréhensible.

— Donc, en sortant d'ici, je tourne à gauche ?

L'homme hocha la tête. Marc ne saisit pas ce que lança sa femme au moment où il sortait, mais son ton était sarcastique.

En suivant les indications qui figuraient sur la feuille – deuxième rue à gauche après l'église –, Marc se sentait un peu plus rassuré, mais un peu ballonné : il avait déjà avalé deux repas et il n'était pas encore midi. Après être passé devant l'église, il gravit une rue pentue bordée de petites maisons.

Jadis, ce quartier avait accueilli des résidences luxueuses, mais de toute évidence, il était tombé en disgrâce. Les façades étaient lézardées, les fenêtres condamnées par des planches et les jardins ressemblaient à des jungles miniatures. Comme pour renforcer cet aspect déprimant, l'orage qui s'annonçait avait assombri le ciel.

La dernière maison de la rue abritait la pension Raquel. Marc s'avança dans une allée de ciment où de la mousse poussait dans les fissures. Le ventre noué, il s'approcha de la porte d'entrée sur laquelle était placardée une longue liste de règles : *Pas de crédit, pas d'animaux domestiques, pas de juifs, pas de Sénégalais, pas de bruit, pas de femmes, pas de musique, pas de cigarettes au lit et absolument aucun remboursement.* En dessous, les mêmes interdictions étaient traduites en d'autres langues à l'attention des Polonais, des Russes et des Allemands.

— Bonjour, dit timidement Marc en poussant la porte.

142

Le grondement d'une chasse d'eau, sur sa gauche, le fit sursauter. Une porte s'ouvrit puis un homme torse nu sortit des toilettes, suivi d'une odeur épouvantable qui souleva l'estomac trop rempli du jeune garçon. Celui-ci entrevit les murs moisis, le réservoir rouillé de la chasse d'eau et des cabinets qui n'avaient pas été nettoyés depuis des décennies.

— Pardon, je savais pas tu attendais, dit l'homme dans un mauvais français avec un accent russe.

Marc se racla la gorge.

— Vous travaillez ici ? Je cherche un endroit où dormir.

L'homme montra le plafond.

— Madame Raquel, là-haut.

En s'enfonçant dans la maison, le jeune garçon fut assailli par l'odeur du tabac froid et de la transpiration. Arrivé en haut de l'escalier, il eut envie de faire demi-tour et de s'enfuir, mais il demeura figé en découvrant, à travers une porte ouverte, un vieil homme allongé sur son lit entièrement nu. Il avait une longue barbe hirsute dans laquelle étaient accrochés des restes de vomi, semblables à des décorations de Noël.

Trois autres lits s'entassaient dans cette pièce. Les draps étaient constellés de taches jaunes et percés de dizaines de brûlures de cigarette. La fenêtre était condamnée par des planches et le sol en linoléum, crasseux, jonché de bouteilles de bière et de journaux.

Marc était horrifié. Il n'était pas venu jusqu'à Paris pour vivre dans des conditions aussi sordides.

À l'orphelinat, au moins, les religieuses veillaient à ce que les garçons se lavent et se changent régulièrement. Alors qu'il s'apprêtait à dévaler l'escalier, une femme imposante, qu'il supposa être Mme Raquel, sortit d'une autre chambre, la mine renfrognée.

— Si vous continuez à me causer des ennuis, lança-t-elle à un pensionnaire en agitant son index d'un air menaçant, j'envoie mes gars pour vous briser les os et vous balancer dans le caniveau. C'est là qu'est votre place ! *(Elle se retourna vers Marc.)* Tu cherches qui, toi ?

— Euh… C'est combien pour un lit ?

— Six francs la nuit en haut. Huit en bas, avec le petit déjeuner. Faut rester au moins trois nuits et verser dix francs de caution pour les draps. Au moindre raffut, c'est la porte ! Sans remboursement.

Marc hocha la tête de manière hésitante.

Comme il ne disait rien, Mme Raquel s'impatienta :

— Alors ? J'ai pas que ça à faire, moi ! Tu veux un lit ou t'en veux pas ?

Marc tremblait de peur. Cette femme le terrorisait et il sentit sa main glisser malgré lui vers l'argent qui se trouvait dans sa poche de pantalon. Mais soudain, il entendit un bruit de pas dans son dos et, en se retournant, il découvrit le vieil homme sur le seuil de sa chambre, toujours nu comme un ver.

— Va donc t'habiller, vieux dégueulasse ! lui cria Mme Raquel.

Marc savait qu'il ne pouvait pas rester ici, mais il n'osait pas le dire, de peur que la matrone ne s'en prenne à lui.

— J'ai pas mon argent sur moi, expliqua-t-il d'une toute petite voix. Je reviendrai plus tard.

Sur ce, il pivota pour filer, mais le vieil homme était devant lui dans l'escalier et Marc dut regarder le clochard nu se traîner jusqu'aux toilettes, sous l'œil incendiaire de la logeuse.

— Tu trouveras pas moins cher ailleurs ! lui cria-t-elle.

Il franchit la porte d'un bond et avala de grandes bouffées d'air frais comme si sa vie en dépendait. Il n'avait touché à rien dans la maison, mais il avait l'impression que sa peau le démangeait. Il aurait encore préféré passer la nuit dans l'étable de M. Morel.

Il redescendit la rue pentue. Déçu de ne pas avoir réglé son problème de logement, il envisagea de retourner au café pour demander au gros bonhomme sympathique de lui indiquer un établissement un peu plus « haut de gamme ». Mais sa méfiance instinctive l'en dissuada : cet homme savait sans doute que la pension Raquel était un endroit infâme, et il l'avait peut-être envoyé là-bas exprès.

Le ciel était tout noir maintenant, mais Marc se fichait pas mal qu'il pleuve. L'atmosphère était encore enfumée après les bombardements et la pluie nettoierait l'air. De fait, alors qu'il atteignait le milieu de la rue, quelques gouttes frappèrent les pavés. Elles semblaient étonnamment sombres, mais il ne s'en inquiéta pas, jusqu'à ce que l'une d'elles coule sur son front et sa paupière.

Il eut l'œil qui piquait tout à coup et quand la pluie devint plus forte, il constata que chaque goutte laissait une tache grise sur sa chemise. Les incendies qui s'étaient déclarés après le raid aérien de la nuit précédente avaient projeté dans le ciel d'énormes quantités de fumée et de cendre qui retombaient maintenant sous l'aspect d'une pluie noire !

Une rafale de vent la transforma en un rideau sombre. Marc avait la peau marbrée de traînées grises ; il ferma la bouche et se protégea les yeux avec sa main. Il lança des regards désespérés autour de lui, à la recherche d'un abri. L'église située en bas de la colline constituait un refuge idéal, mais elle était encore à plusieurs minutes de l'endroit où il se trouvait, même en courant.

Le jeune garçon remarqua alors que la maison la plus proche possédait un petit porche. Le portail était obstrué par la haie qui avait poussé en toute liberté, mais il se faufila à travers le feuillage et courut jusqu'à la porte. Il s'arrêta sous le porche voûté, juste au moment où la pluie redoublait de violence.

Des tourbillons d'eau sombre dévalaient une allée faite de carreaux noirs et blancs, pendant que Marc tentait d'apercevoir l'intérieur de la maison à travers une fente des volets en bois. Compte tenu de l'état du jardin, il fut surpris de découvrir un salon à l'ameublement chaleureux, même si tous les meubles étaient couverts de housses beiges, comme si les occupants étaient partis depuis longtemps.

Tandis qu'il continuait à tomber des cordes, Marc s'interrogea. Cette maison semblait plutôt confortable, et maintenant que les Allemands approchaient, il était peu probable que les occupants reviennent prochainement. Peut-être pourrait-il s'y introduire...

CHAPITRE SEIZE

Rosie nettoya les plaies de Paul avec de l'alcool ; après quoi, ils firent le tri dans leurs bagages afin de ranger le strict minimum dans deux petites valises : quelques vêtements, les bijoux de leur mère, les boutons de manchette en or de leur père, une carte routière, deux brosses à dents et d'autres articles de toilette. La décision la plus douloureuse concernait l'album-photos. Jamais ils ne pourraient le transporter, il était trop lourd avec son épaisse couverture en carton. Alors, chacun choisit quelques clichés parmi ses préférés et ils abandonnèrent solennellement des centaines de photos collées sur des feuilles noires, accompagnées de légendes rédigées au crayon blanc par leur mère.

Sur ce, les deux enfants examinèrent avec soin le portefeuille et le calepin de leur père pour essayer d'y trouver le numéro de téléphone d'Henderson. Assis côte à côte dans l'herbe sèche, près de la voiture, ils parcoururent les notes griffonnées : des coordonnées d'acheteurs de grands magasins, de gradés de l'armée française, mais aussi des commentaires sur des restaurants et des hôtels où leur père avait fait un bon repas ou dormi dans un bon lit au cours de ses tournées. Mais rien sur Henderson.

— On perd notre temps, déclara Rosie au bout d'une heure. On ferait mieux de se mettre en route.

Paul insista pour emporter ses plus beaux dessins et ses crayons. Comme elle était plus âgée et plus forte, ce fut Rosie qui porta le plus gros de leurs affaires et la valise contenant les documents. Ils pesaient une tonne et elle dut changer de main avant même d'avoir parcouru le premier kilomètre.

— Il nous faudrait une charrette ou un landau, dit-elle. Beaucoup de personnes ont été tuées sur la place, on pourrait en récupérer un, abandonné.

— Oui, c'est possible, répondit Paul. Mais ça va être dur d'en trouver un en bon état.

— Ou alors, il y a peut-être un magasin qui en vend. Jamais je ne pourrai porter tout ça jusqu'à Bordeaux.

Paul semblait réticent. Il demanda :

— Si on retourne sur la place, tu crois que papa sera toujours là ?

— Comment veux-tu que je le sache ? Mais si tu as une meilleure idée, je t'écoute.

Quelques trains régionaux semblaient circuler et un cheminot posté au pied du pont empêchait le flot de réfugiés de traverser les voies. Ils durent parcourir deux kilomètres de plus jusqu'au pont routier qui avait été retapé par l'armée, puis encore un kilomètre pour revenir dans le centre de Tours.

Quand Paul et Rosie y arrivèrent enfin, ils étaient en nage et avaient les bras en feu. Parfois, une voiture klaxonnait pour écarter les piétons, rappelant cruellement aux enfants Clarke leur dégringolade sociale.

Mais ils étaient en bonne santé, contrairement à tous ceux qui marchaient depuis plusieurs jours. Par ailleurs, ils n'étaient pas les seuls enfants non accompagnés sur la route. Dans certains cas, des gamins de l'âge de Rosie devaient s'occuper de leurs jeunes frères et sœurs, tout en veillant sur une charrette qui contenait tous leurs biens.

L'accès à la place bombardée avait été bloqué par des barrières en bois. Seuls quelques débris fumaient encore, sous l'œil attentif de pompiers qui les arrosaient avec leurs lances. D'immenses flaques d'eau luisaient sur les pavés.

Paul ne put s'empêcher de jeter un coup d'œil en direction de l'embrasure de porte où leur père s'était éteint. Elle était vide.

En leur absence, le toit de la mairie avait pris feu et s'était écroulé sur les étages inférieurs. Il ne restait qu'une montagne impressionnante de gravats et de meubles carbonisés, coincée entre deux murs calcinés.

— Ça ne sert à rien, grogna Paul en contemplant les carcasses déformées des étals. Il n'y a pas de chariot ici.

Rosie s'approcha d'un pompier à l'air épuisé qui fumait une cigarette, devant une barrière rouge et blanche.

— Excusez-moi, lui dit-elle. Vous connaissez bien la ville ?

— J'y suis né.

— On a besoin d'une charrette ou d'un landau, expliqua la fillette. Vous ne savez pas où on pourrait en trouver ?

Le pompier semblait dubitatif, mais après quelques secondes de réflexion, il esquissa un geste.

— À deux rues d'ici, il y a quelques magasins d'articles d'occasion. Mais de nos jours, y a certaines choses qu'aucune somme d'argent ne peut acheter, et je serais pas étonné que les charrettes en fassent partie.

Ils repartirent, dépités.

— Attendez ! leur cria le pompier. Allez donc voir à l'église Saint-Pierre. Le prêtre a aidé des réfugiés toute la semaine. C'est à deux minutes d'ici. Si quelqu'un peut quelque chose pour vous, c'est lui.

— Merci, dit Rosie en retrouvant le sourire. On va tenter notre chance.

Ils traînèrent leurs bagages pendant encore une centaine de mètres, jusqu'à ce qu'ils découvrent, dans une rue perpendiculaire, une église gothique derrière de grandes grilles. C'était presque la mi-journée et, dans l'éclat du soleil déjà haut, le jardin bien entretenu et les pelouses impeccables formaient une magnifique oasis au milieu du chaos de la ville bombardée. Mais après avoir franchi les grilles, ils eurent un choc en apercevant un alignement de corps. Ceux-ci avaient été recouverts par des draps ou des vêtements, mais dans bien des cas, le sang avait traversé le tissu et les mouches bourdonnaient, attirées par l'odeur.

— Hé, c'est vous ! s'exclama Hugo en jaillissant hors de l'église. *(Il montra le plus grand des corps alignés.)* Votre papa est là ! Je leur ai parlé de vous, mais je connais pas vos noms.

Paul fut ébranlé par la réapparition inattendue de son père, mais la véritable horreur, c'étaient les corps de deux jeunes enfants allongés à côté. Si ces morts étaient toutes injustes, celles de gamins trop jeunes pour comprendre ce qu'était la guerre paraissaient encore plus cruelles.

— Tu as retrouvé ta maman ? demanda Rosie.

Hugo hocha la tête et désigna un point au loin.

— Ils l'ont emmenée. Ici, c'est les morts que personne connaît.

— Bonjour ! lança gaiement un prêtre en émergeant de l'obscurité des arcades de l'église.

Il était grand, mince, avec une énorme protubérance sur le côté du nez.

— Je suis le père Leroy. Avez-vous besoin d'aide tous les deux ?

— C'est le fils et la fille du mort ! expliqua Hugo, tout excité.

En entendant cela, le prêtre se figea.

— Mes enfants, dit-il à voix basse. Que Dieu vous bénisse. Entrez, que nous puissions parler.

CHAPITRE DIX-SEPT

Abrité sous le porche en attendant que l'orage passe, Marc repensa aux innombrables sermons de M. Thomas dans lesquels il lui décrivait les endroits où finissaient les voyous dans son genre. La France possédait un système pénal sévère constitué de donjons infestés de rats, de camps de travail et de colonies pénitentiaires où les travaux forcés et les privations étaient la norme.

Marc avait volé les biens du directeur et s'était enfui, mais ces crimes avaient été commis dans les limites de l'orphelinat. Thomas aurait pu légitimement appeler la police, mais jamais il ne le ferait car il prenait trop de plaisir à corriger lui-même ceux dont il avait la garde.

En revanche, si par malheur on le surprenait alors qu'il entrait par effraction dans une maison à Paris, il serait arrêté par la police et condamné par la justice. Il ne connaissait pas bien ces deux institutions, mais la perspective de se retrouver dans une cellule parisienne lui glaçait le sang.

D'un autre côté, Marc se remémora l'incroyable saleté qu'il avait découverte à la pension Raquel et le fait que, tôt ou tard, les économies de M. Thomas s'épuiseraient ; il serait alors contraint de violer la loi pour survivre. Car dans la vie, tout était payant et il était trop jeune pour gagner de l'argent honnêtement.

S'il ne s'introduisait pas dans cette maison aujourd'hui, il ne ferait que retarder l'inévitable. En outre, l'absence évidente des occupants, ajoutée à la haie touffue qui le dissimulait aux yeux des passants, lui offrait une occasion formidable. Seul problème : Marc ignorait comment on commettait une effraction.

Quand le soleil réapparut enfin entre deux couches de nuages, le jeune garçon abandonna le perron pour faire le tour des lieux. Sa chemise blanche était toute grise à cause des cendres tombées du ciel et ses yeux étaient encore irrités, mais la pluie avait purifié l'air et il avait l'impression de respirer véritablement pour la première fois depuis qu'il avait quitté la campagne.

Il dut se battre avec les buissons et les branches pour chercher le moyen d'accès le plus facile. Tous les volets étaient fermés, mais chaque fois qu'il pouvait apercevoir l'intérieur de la maison, Marc était rassuré en découvrant les tapis roulés et les draps sur les meubles.

Il n'avait pas trouvé le point faible qu'il espérait, mais il opta pour une petite fenêtre faite de lamelles de verre dépoli. N'étant pas assez grand pour l'atteindre aisément, il alla chercher une poubelle en fer-blanc qu'il avait aperçue derrière la maison et monta dessus.

Glisser les doigts entre deux lamelles pour les soulever fut un jeu d'enfant. Toutes les six basculèrent à l'horizontale en grinçant, lui offrant une vue plongeante sur la salle de bains. Juste sous la fenêtre se trouvait un lavabo. Une araignée avait tissé sa toile entre les robinets et le rebord de la vasque. En face, il y avait des toilettes, un bidet et une grande baignoire reposant sur quatre pieds ternis. À l'image de la maison, les installations étaient superbes, mais un peu démodées.

S'il parvenait à ôter deux ou trois lamelles, Marc croyait pouvoir se faufiler par la fenêtre et se laisser glisser jusqu'au lavabo. Il commença par tirer sur une lamelle, pour tester sa résistance. Ce ne serait pas facile.

Il examina le cadre métallique dans lequel étaient fixées les lamelles. Elles étaient maintenues par une vis à chaque extrémité, et il pensait être capable de les desserrer à l'aide du couteau de chasse de M. Thomas.

Il trébucha en sautant de la poubelle, sans se blesser heureusement, et trente secondes plus tard, ayant récupéré le couteau dans son sac, il tenta d'introduire la lame dans la tête d'une vis. Hélas, la lame était trop large et il ne pouvait pas exercer un mouvement de rotation. La vis refusait de bouger, d'autant plus qu'elle était prise dans une épaisse couche de rouille.

Marc grogna, mais sa détermination ne faiblit pas et il essaya encore. Glisser la main entre les lamelles pour atteindre la vis n'était pas simple et, au bout de cinq minutes, son épaule s'ankylosa. Il n'avait réussi qu'à s'entailler le pouce.

Quand la lame du couteau dérapa pour la énième fois, Marc tira rageusement sur une des lamelles, avec l'énergie du désespoir. Un morceau de mortier se détacha entre le mur de briques et le cadre rouillé de la fenêtre.

En observant cet interstice, Marc constata que le mortier était fissuré et s'effritait quand il le creusait avec son ongle. Il appliqua la pointe du couteau dans le trou laissé par le morceau de mortier et poussa, comme s'il donnait un coup de poignard. Il fut récompensé par une fine pluie de poussière blanche, mais des coups répétés lui permirent de creuser un véritable trou entre les briques et le métal. Le sourire aux lèvres, Marc y introduisit la lame et s'en servit à la manière d'une scie pour attaquer le mortier.

En moins d'une minute, il creusa un espace de vingt centimètres de long entre l'encadrement de la fenêtre et le mur. Mais il faisait du bruit, alors il s'arrêta pour s'assurer qu'il n'avait pas attiré l'attention. Il sauta à terre et, après avoir grossièrement ôté la poussière blanche de ses vêtements, il retourna vers la haie pour jeter un coup d'œil dans la rue.

Deux hommes gravissaient péniblement la pente. À en juger par leur aspect négligé, ils se dirigeaient vers la pension Raquel. Ils n'avaient vraisemblablement rien entendu, mais Marc les laissa passer avant de reprendre son travail.

Bientôt, il eut fait sauter tout le mortier d'un côté de la fenêtre. Pour voir, il donna un petit coup dans la barre métallique qui maintenait les lamelles. Le verre trembla et, de l'autre côté, le mortier se désagrégea.

La fenêtre dans son ensemble menaçait de tomber à l'intérieur. Nul doute que le vacarme alerterait la moitié du quartier ! Marc saisit une des lamelles, mais le poids combiné du verre et du métal suffit à lui tordre le poignet douloureusement, l'obligeant à lâcher le couteau pour retenir l'autre montant de la fenêtre.

Ce n'était pas très commode, mais il parvint à extraire tout le châssis et à le lâcher au-dessus d'un buisson, dans un simple bruissement de branches, suivi d'un petit bruit métallique. Marc avait réalisé une prouesse et il éprouvait un sentiment de fierté.

Après avoir récupéré son sac en peau de porc et l'avoir mis sur son dos, il prit appui sur le rebord de la fenêtre, avec ses paumes, et se hissa à la force des bras. Maintenant qu'il n'y avait plus de fenêtre, il avait largement assez de place pour se faufiler à l'intérieur, mais il n'avait aucune envie de basculer dans le lavabo la tête la première. Aussi dut-il se livrer à de longues et douloureuses contorsions pour faire passer ses jambes en premier et se laisser glisser les pieds en avant.

Il sauta prestement hors de la vasque et se réceptionna tant bien que mal sur le sol carrelé, au milieu de la salle de bains. Euphorique, mais toujours un peu effrayé, il actionna un des robinets. Après quelques crachotements de la tuyauterie, de l'eau claire jaillit, emportant dans un tourbillon les restes de la toile d'araignée.

Marc ôta la poussière collée sur ses mains et ses bras, puis s'aspergea le visage. En se regardant dans un miroir rond servant à se raser, il fut surpris de découvrir à quel point il était crasseux. Pas étonnant que la femme du café l'ait regardé d'un air dégoûté.

Il sortit dans le couloir, où il se retrouva nez à nez avec une chaudière à gaz et un interrupteur. La veilleuse de la chaudière était éteinte, mais il avait vu des religieuses se servir d'un appareil semblable à l'orphelinat, les soirs de bain, et il pensait être capable de le mettre en marche pour obtenir de l'eau chaude. Il abaissa l'interrupteur, sans grand espoir, et sursauta quand trois appliques projetèrent des V de lumière sur les murs du couloir.

La première porte s'ouvrait sur la cuisine. Les placards étaient presque vides, mais il restait quelques boîtes de conserve. Marc remarqua que certaines portaient des inscriptions en anglais. Il y avait également un paquet jaune contenant une chose nommée Bird's Custard, et trois grandes bouteilles de sauce marron.

Le salon était spacieux et peu meublé. Marc eut la chair de poule en entendant le plancher grincer sous ses pas. Il souleva quelques draps pour voir ce qu'ils recouvraient et découvrit une radio avec pick-up, une collection de vases tarabiscotés dans une vitrine et une étagère remplie de livres. Certains étaient en français, mais la plupart étaient en anglais, et Marc s'en réjouit car il lui semblait peu probable qu'un Anglais revienne à Paris avant longtemps.

Sa première priorité, décida-t-il, était de se laver. Ensuite, il enfilerait les vêtements de rechange qu'il avait décrochés sur les cordes à linge de l'orphelinat, puis il ferait une sieste car il tombait de fatigue. Une fois réveillé, il sortirait pour acheter à manger, et peut-être même qu'il retournerait voir le cinéma qu'il avait découvert en chemin, à proximité des boutiques.

Tout allait beaucoup mieux, maintenant qu'il avait un toit. Certes, tous ses problèmes n'étaient pas résolus, mais un sentiment d'exaltation l'habitait à l'idée qu'il était libre de se promener dans les rues de Paris, d'aller voir un vrai film dans un vrai cinéma et de rentrer « chez lui » ensuite pour dormir dans un véritable lit.

Le bon temps durerait jusqu'à ce que les Allemands arrivent en ville, mais cela lui laissait quelques jours pour faire des plans et apprendre à se comporter en société, chose indispensable s'il voulait survivre seul pendant un certain temps.

Marc déboutonna sa chemise en retournant dans le couloir. Alors qu'il allait bifurquer vers la salle de bains, il aperçut quelques lettres par terre, derrière la porte d'entrée. Il se dit qu'elles pourraient lui apprendre le nom de la personne chez qui il venait de s'introduire par effraction.

Une enveloppe vert pâle attira son attention. Il la ramassa et lut à voix haute le nom qui y figurait :

— « Monsieur Charles Henderson. »

DEUXIÈME PARTIE

14 juin 1940 – 15 juin 1940

Le 11 juin, le gouvernement français avait quitté Paris et les forces allemandes n'étaient plus qu'à quelques kilomètres de la capitale. Redoutant un bain de sang, les habitants continuaient à fuir. Moins de la moitié de la population resta sur place.

Dans la nuit du 13 juin, le commandement militaire français déclara qu'il souhaitait « éviter la destruction de Paris qui résulterait d'une volonté de défendre la ville. Nous ne pouvons justifier le sacrifice de notre capitale, et par conséquent, toutes les forces françaises vont se retirer sur un nouveau front au sud de Paris ».

L'armée allemande annonça qu'elle entrerait dans Paris par le nord-ouest le lendemain à midi.

CHAPITRE DIX-HUIT

Alors que les Parisiens s'inquiétaient de leur sort, Marc Kilgour avait vécu la semaine la plus excitante de son existence. Il était allé au cinéma tous les après-midi. Il avait vu quatre fois *Le Magicien d'Oz*, accompagné des actualités filmées bourrées de propagande, des westerns américains et des films policiers français. Il avait pris le métro, visité les Champs-Élysées et contemplé la tour Eiffel d'en bas. Il aurait aimé monter au sommet, mais elle était fermée à cause des raids aériens.

Le domicile de Charles Henderson lui offrait l'électricité, le gaz et l'eau chaude. Il y avait même le téléphone et il avait envisagé, un court instant, d'appeler l'orphelinat pour faire enrager M. Thomas en lui racontant comment il dépensait ses économies. Mais il ne connaissait pas le numéro et il craignait que cet appel ne permette de savoir où il se trouvait.

Il dormait dans un lit douillet avec des draps en coton égyptien et, après des débuts calamiteux, il avait même réussi à confectionner quelques repas convenables. Mais le nord de la capitale étant bloqué par les Allemands, les routes du sud encombrées par la population en exode et les troupes françaises, il fallait faire la queue pour se procurer les denrées les plus élémentaires et des agents de police montaient la garde devant les boulangeries pour empêcher les échauffourées.

Peu à peu, Marc avait appris à connaître le prix des choses et il avait calculé que les économies de M. Thomas lui permettraient de tenir deux ou trois mois, du moment qu'il n'avait pas de loyer à payer. Contrairement aux habitants âgés et pauvres qui étaient restés à Paris — les jeunes et les plus aisés ayant presque tous fui —, Marc avait les moyens de manger dans les cafés, qui semblaient pâtir davantage d'un manque de clients que de nourriture.

En outre, les serveurs lui donnaient l'occasion de bavarder, car le plus gros problème dans la nouvelle existence de Marc, c'était la solitude. Jamais il n'aurait pensé que le brouhaha incessant de l'orphelinat lui manquerait, mais très souvent, il ressentait le besoin de parler, et quand il se retrouvait seul entre ses quatre murs, il confiait ses pensées les plus poignantes à voix haute à une Jade Morel imaginaire.

Les raids aériens avaient redoublé de violence la nuit, mais ils se concentraient principalement sur le centre. Les cafés et les cinémas devaient fermer leurs portes à dix-huit heures ; aussi passait-il ses soirées à lire dans le salon d'Henderson, devant la fenêtre ouverte, seulement importuné par les insectes du jardin en friche.

Marc avait toujours adoré les livres, mais il n'y en avait pas à l'orphelinat, et même quand il dénichait un livre de lecture à l'école, il devait s'exiler au loin dans les champs, pour être tranquille. Il avait déjà dévoré deux des romans français d'Henderson et se débattait maintenant avec un vieil ouvrage de contes folkloriques rédigé en allemand.

Il se débrouillait plutôt bien dans cette langue, grâce à un professeur d'origine germanique qui avait donné des cours, après l'école, aux élèves les plus brillants. Les passages que Marc ne comprenait pas étaient aisément compensés par les superbes illustrations, entièrement en couleurs et rehaussées de feuilles d'or et d'argent. Hélas, la plupart des livres d'Henderson étaient en anglais, une langue dont il ne comprenait pas un traître mot.

•••

Il y avait dans la chambre un lit à deux places qui lui semblait incroyablement luxueux comparé aux matelas miteux, poussiéreux et maculés de taches d'urine sur lesquels ils dormaient à l'orphelinat. Mais le plus agréable, c'était que le directeur n'était pas là pour lui flanquer un grand coup sur les fesses s'il ne se levait pas à la seconde même où on le lui ordonnait.

La liberté était une chose délicieuse, Paris une ville exceptionnelle, mais passer la moitié de la matinée à baver sur son oreiller en sachant que vous n'êtes pas obligé de vous lever, il n'y avait rien de meilleur. En outre, les Allemands avaient mis fin à leurs bombardements quand les Français avaient annoncé leur reddition. De fait, Marc était en train de savourer la plus exquise des grasses matinées, lorsque la maison fut ébranlée par une secousse si violente que son crâne heurta la tête de lit.

Un énorme grondement s'éleva au-dessus de la colline et quand Marc se leva précipitamment pour tirer les rideaux, il découvrit un gigantesque champignon de feu dans le ciel. Il n'y avait aucun avion dans les parages, pourtant l'explosion était vingt fois plus puissante que toutes celles qu'il avait connues jusqu'à présent.

La chaleur sur les vitres était intense et, alors qu'il entendait des casseroles s'entrechoquer dans la cuisine et une vitrine se renverser dans le salon, il aperçut avec étonnement une dizaine de personnes rassemblées au pied de la colline, près de l'église. Elles avaient placé leurs mains en visière pour se protéger de l'éclat lumineux, mais paraissaient étrangement calmes, comme si elles assistaient à un feu d'artifice, et non pas à la menace d'un raid aérien.

Intrigué, Marc enfila son pantalon, ses chaussures, puis boutonna sa chemise avant de dévaler l'escalier. D'autres explosions retentirent pendant qu'il s'arrêtait sur le seuil du salon pour jeter un coup d'œil dans la vitrine, qui confirma ses pires craintes.

Si la clé qu'il avait trouvée dans le bureau d'Henderson lui permettait d'utiliser la porte d'entrée, il n'avait pas pour autant le droit d'occuper cette maison, aussi prenait-il soin d'éviter les voisins.

Après s'être faufilé sous la haie, il leva les yeux vers le haut de la rue et constata que la plupart des locataires de la pension Raquel étaient sortis, eux aussi ; ils regardaient les flammes décroître dans le ciel. Quelques explosions, moins violentes, retentissaient encore, mais heureusement, le vent entraînait les nuages de fumée dans la direction opposée.

Ne voulant pas attirer l'attention en courant, Marc descendit la rue à grands pas, en tapotant ses poches pour s'assurer qu'il avait assez d'argent pour se payer un petit déjeuner tardif ou un déjeuner. Lors de ses trajets quotidiens pour se rendre au cinéma, il passait devant le café dont le patron l'avait envoyé à la pension Raquel, mais il n'y avait plus remis les pieds car il avait découvert un petit établissement tenu par une famille italienne, non loin de l'église. La nourriture y était bien meilleure et surtout il y avait Livia, la fille adolescente des propriétaires, à la forte poitrine.

Quand Marc arriva, Livia, son père, sa grand-mère et plusieurs clients étaient alignés devant le café-restaurant.

— Eh bien, Marc, dit la grand-mère avec un sourire éclatant, comment va ton oncle aujourd'hui ?

Le *Café Roma* était fréquenté par des gens du quartier et, quand Marc y était entré pour la première fois, il avait expliqué qu'il logeait chez son oncle malade, sans préciser son adresse. Il avait honte de ce mensonge, mais la vieille femme l'appelait « *mon petit soldat* » et ne manquait jamais l'occasion de remplir son assiette à ras bord ou de lui offrir une coupe de mousse au chocolat maison.

Marc aurait volontiers échangé toutes les mousses au chocolat de Paris contre un seul sourire de Livia, si généreusement pourvue par la nature, mais celle-ci regardait le jeune garçon comme s'il s'agissait d'une saleté collée sous sa chaussure.

— Mon oncle ne va pas trop mal aujourd'hui, répondit Marc en essayant de se remémorer son mensonge de la veille pour ne pas se contredire. Je l'ai rasé et je l'ai aidé à prendre son bain.

— Oh, comme c'est gentil ! s'extasia la vieille femme avec son fort accent italien. Je viens de faire des spaghettis aux boulettes de viande. Tu veux y goûter ?

— Il n'est pas encore onze heures, fit remarquer le patron.

Mais Marc s'en fichait. Au début, il se méfiait de tout ce qui ne ressemblait pas aux soupes ou aux ragoûts qu'il avait connus à l'orphelinat depuis toujours, mais la nourriture servie au *Café Roma* était savoureuse et, grâce à des relations de longue date parmi les commerçants et les grossistes locaux, le restaurant ne souffrait pas de la pénurie.

— Qu'est-ce qui se passe là-bas, de l'autre côté de la colline ? demanda Marc en montrant les flammes.

— La reddition, expliqua le patron. Tu n'es pas au courant ? Les Allemands vont entrer dans Paris à midi.

170

— J'ai entendu ça à la radio hier soir. Mais dans ce cas, pourquoi est-ce que les Allemands continuent à bombarder ?

— Non, ça c'est vous autres, les Français, répondit la vieille femme. Ils abandonnent Paris aux Boches, mais le commandement militaire français n'est quand même pas assez stupide pour livrer ses usines de munitions à l'occupant.

— Ahhh, fit Marc, qui comprenait maintenant. Je dorm... Euh, je faisais prendre son bain à mon oncle, alors je n'ai pas entendu les nouvelles ce matin. Qu'ont-ils dit à part ça ?

— Pas grand-chose, répondit le patron.

Le ciel était encore obscurci par la fumée, mais la boule de feu provoquée par la première explosion était en train de s'éteindre. Pendant que le père de Livia retournait dans son établissement, la grand-mère ajouta :

— L'armée a interdit aux civils toutes les routes qui sortent de Paris afin de pouvoir évacuer son matériel et les Allemands ont promis d'entrer en ville sans faire de mal à quiconque.

Ses lèvres fines se pincèrent et elle repoussa des boucles de cheveux gris qui tombaient devant son visage.

— On sera fixés dans une heure.

CHAPITRE DIX-NEUF

Tours était située sur la route nationale qui reliait Paris au sud de la France. Quelques bombes larguées au bon endroit pouvaient donc perturber le trafic routier et ferroviaire dans le centre du pays et obliger les transports de troupes et de matériel à effectuer des détours de plusieurs centaines de kilomètres, provoquant des retards et un gâchis de carburant, denrée de plus en plus rare.

Dix jours d'intenses bombardements avaient transformé la ville en véritable enfer. Plus d'un tiers des habitations étaient détruites, les principaux ponts avaient été rasés, l'alimentation en gaz, en eau et en électricité coupée. Et il n'y avait plus une seule fenêtre intacte dans un rayon de deux kilomètres autour du centre.

Pourtant, il n'était pas nécessaire de s'aventurer très loin dans la campagne pour voir disparaître tous les signes de la guerre. Rosie et Paul avaient trouvé refuge dans une petite ferme appartenant à un curé à la retraite et à sa sœur Yvette, une vieille fille.

Ce matin-là, Rosie courait à toutes jambes dans un pré et elle gagnait du terrain sur Hugo, coiffé d'un chapeau fait d'un chiffon noué dans lequel on avait planté des plumes de coq.

— Tu m'attraperas pas ! s'exclama l'enfant.

Il poussa un cri aigu en se retournant et en constatant que Rosie pouvait presque le toucher.

— Je te tiens, petit monstre ! grogna-t-elle en saisissant le garçonnet par la taille pour le soulever dans les airs.

Hugo battit des jambes furieusement dans le vide. Quand Rosie le reposa, il était essoufflé et il souriait.

— Encore ! dit-il.

Rosie aimait bien jouer avec Hugo car cela lui permettait de faire l'idiote et d'oublier toutes les choses tristes. Le problème, c'était qu'il n'en avait jamais assez.

— D'accord, dit-elle en mettant ses mains devant ses yeux. Mais une dernière fois.

— Encore trois fois, exigea Hugo.

— Une fois ou pas du tout. Ça fait presque une heure que je joue avec toi.

— Bon, d'accord, soupira le petit garçon, avant de faire demi-tour pour s'élancer parmi les herbes hautes.

— Un, deux, trois, quatre…

Rosie cessa de compter dès que Hugo fut hors de portée de voix. Il faisait trop chaud pour courir ainsi et elle avait un point de côté, à force.

Elle balaya le pré du regard et aperçut aussitôt la tête de Hugo qui dépassait d'un fossé. Si elle le trouvait trop rapidement, il insisterait pour continuer à jouer à cache-cache, aussi fit-elle semblant de chercher pendant un instant avant de marcher tranquillement vers le fossé.

Quand elle s'approcha, Hugo jaillit de sa cachette pour protester :

— Tu as regardé !

— Et alors ? répliqua Rosie pour le faire enrager. Qu'est-ce que tu vas faire, microbe ?

— Tu es moche ! s'écria Hugo en escaladant la paroi du fossé. Et tu sens le crottin de cheval !

Rosie poussa un grognement furieux.

— Oh, tu vas me le payer !

Le petit garçon hurla de plaisir en traversant une haie, avant de s'élancer sur un chemin de terre pentu. Quand Rosie réussit à franchir la haie à son tour – une épreuve bien plus difficile pour une fillette de treize ans à la forte carrure que pour un garçon de six ans –, elle s'inquiéta de voir Hugo cavaler sur un chemin parsemé de cailloux.

— Fais attention ! lui cria-t-elle. Reviens jouer dans l'herbe.

— Essaye de m'attraper !

N'ayant aucune envie de s'entailler le genou sur une pierre, Rosie ralentit l'allure, se contentant de marcher à grands pas. Hugo s'arrêta et se retourna, les poings sur les hanches.

— Allez, Rosie ! Tu joues pas pour de vrai !

Il quitta le chemin pour plonger derrière un bosquet. Dans la seconde qui suivit, Rosie entendit un grand cri. « OOOOOHHHH ! »

Elle imaginait déjà le pire et se précipita. Mais à peine eut-elle parcouru une dizaine de mètres qu'elle entendit Hugo qui demandait :

— Pourquoi tu te caches ici ?

En faisant le tour du bosquet, la fillette découvrit qu'il avait trébuché sur les jambes tendues de Paul. Celui-ci était adossé au tronc d'un arbuste, son carnet à dessins à la main. Sa boîte en bois contenant ses crayons et ses encres était posée dans l'herbe près de lui.

— Ça va ? lui demanda Rosie. Qu'est-ce que tu fiches ici ?

Paul agita son carnet.

— Je cueille des fleurs, répondit-il d'un ton agacé.

En temps normal, Rosie n'aurait pas toléré cette insolence, mais son frère avait été très affecté par la mort de leur père et, depuis une semaine, il était encore plus renfermé que d'habitude.

— Tu dessines quoi ? demanda Hugo.

— Rien.

Le petit garçon se rapprocha.

— Allez, fais-moi voir ! supplia-t-il.

Paul plaqua son carnet contre sa poitrine. Hugo voulut s'en saisir, mais Paul le repoussa brutalement.

— C'est personnel !

Le garçonnet recula de trois pas, avant de tomber lourdement sur les fesses.

— Doucement, imbécile ! s'écria Rosie. Il n'a que six ans !

Hugo se releva en faisant la moue, comme s'il allait se mettre à pleurer.

— Je ne vous ai pas demandé de venir m'embêter ! protesta Paul. J'avais envie d'être tranquille.

— Je voulais juste voir ton dessin, dit Hugo.

Paul prit son carnet par un coin, entre ses doigts tachés d'encre, et le lança par terre. Hugo examina le dessin, sans saisir ce qu'il représentait. Mais Rosie reconnut immédiatement le portrait de leur père. Si un côté du visage était une image presque parfaite, l'autre côté était atrocement déformé, le globe oculaire était vide et un trou dans la joue grouillait de vers.

— Espèce de détraqué ! hurla Rosie. Pourquoi tu l'as représenté comme ça ? Pourquoi tu ne fais pas un joli dessin ?

Paul jeta un regard noir à sa sœur.

— Parce que j'ai pas envie de faire des *jolis* dessins, grosse vache !

Rosie n'était pas grosse, mais elle était complexée par sa forte carrure, et la traiter de grosse était la façon la plus sûre de la mettre en colère.

— Je refuse de regarder cette horreur ! dit-elle.

Elle ramassa le carnet, arracha la feuille et la déchira en mille morceaux. Elle s'attendait à ce que Paul se jette sur elle, mais il resta figé.

— Vous pouvez vous en aller, maintenant que vous m'avez dérangé ? demanda-t-il calmement.

Si son frère s'était battu avec elle, Rosie n'aurait pas regretté d'avoir déchiré ce dessin, mais en le voyant assis là, par terre, le regard vague, elle s'en voulait terriblement. Il avait dû passer des heures sur ce portrait.

— Je suis désolée, dit-elle d'une petite voix, alors que le vent emportait des bouts de papier.

— Si tu le dis.

Elle avait l'impression que son frère était mort à l'intérieur ; elle avait envie de le rouer de coups de poing jusqu'à ce qu'il ressuscite.

— Pourquoi tu ne veux pas me parler ? demanda-t-elle. Moi aussi, je souffre, tu sais. Qu'est-ce que tu veux ?

— On aurait dû aller dans le sud, comme on l'avait décidé au départ, dit Paul. Au lieu de rester ici avec le père Doran et sa sœur.

— Tu as vu tous ces gens qui meurent sur les routes ? Ici, on est à l'abri, on mange bien, l'eau est propre, on a un toit…

Paul secoua la tête.

— Les dernières paroles de papa étaient : « *Trouvez Henderson, remettez-lui les documents.* » Et qu'est-ce qu'on fait ? On reste assis, à dessiner ou à jouer avec un gamin de six ans !

— Papa aurait voulu qu'on soit en sécurité, avant tout, rétorqua Rosie. On a épluché son carnet. On a passé en revue tous les papiers qui étaient dans sa mallette pour trouver une allusion à Henderson. Il n'y a rien ! Ni numéro de téléphone ni adresse. On ne sait pas pour qui il travaille.

— En Angleterre, des gens sauraient. Si on allait dans le sud et si on prenait un bateau pour l'Angleterre, on pourrait contacter quelqu'un et retrouver son assistante : Miss McAfferty.

— Oui, sans doute, concéda Rosie. Mais même si on arrive jusqu'à Bordeaux – deux cents kilomètres à pied sous cette chaleur –, qui te dit qu'il y aura un bateau pour l'Angleterre ? Et à supposer qu'il y en ait un, tu peux parier que des milliers de personnes essaieront de monter à bord.

Paul haussa les épaules.

— Je n'ai jamais dit que ce serait facile. Mais je sais que papa aurait voulu qu'on essaye.

— Non, dit Rosie. Papa n'avait plus toute sa tête quand il a dit ça. Il se vidait de son sang. Et tu as pensé à maman ? Je suis certaine qu'elle aurait voulu qu'on reste ici, à l'abri.

Le silence de Paul était une façon d'admettre que Rosie avait sans doute raison.

— J'ai faim, déclara Hugo en tirant la fillette par le poignet.

— Je rentre à la ferme, dit Rosie en regardant son frère. Yvette a dû préparer le déjeuner. Tu viens avec nous ?

— Oui, j'arrive, répondit le garçon à contrecœur, en refermant brutalement sa boîte de crayons.

CHAPITRE VINGT

Marc s'était habitué au spectacle des troupes françaises. Mal rasés, sous-alimentés et fréquemment ivres, les soldats portaient des uniformes informes et leurs pièces d'artillerie tirées par des chevaux ressemblaient à des reliques d'une autre époque. L'Allemagne n'était distante que de quelques centaines de kilomètres, et malgré cela, son armée donnait l'impression de venir d'un autre monde.

Les premières colonnes qui entrèrent dans Paris étaient précédées de motos et de side-cars, suivis de *Kübelwagens*[1] dont les capots s'ornaient de croix gammées, et dans lesquelles trônait l'état-major. Une voix apaisante sortait d'un mégaphone pour inciter, en français, les Parisiens à rester calmes et à s'écarter pour laisser passer les troupes.

_____

1. Véhicule découvert, semblable à la Land Rover britannique ou à la Jeep américaine.

Venait ensuite l'infanterie. Les soldats, impeccables de leurs casques verts jusqu'à leurs bottes cirées, marchaient au pas. Marc se tenait assez près du bord du trottoir pour humer l'odeur des chevaux magnifiquement entretenus. Les chars gravaient les empreintes de leurs chenilles dans le goudron chauffé par le soleil et envoyaient dans l'atmosphère une brume de gaz d'échappement.

Les forces allemandes exsudaient la puissance. Marc n'avait jamais rien vu d'aussi impressionnant, il était fasciné et intimidé. Il avait souvent rêvé de fuguer afin de combattre pour la France, mais celle-ci était à genoux désormais et il avait envie de changer de camp.

Il s'imaginait sanglé dans l'élégant uniforme nazi, aux commandes de son propre char qui rasait les bâtiments et réduisait en bouillie quiconque était assez stupide pour le défier. Toute sa vie il avait été du côté des perdants, et ce déploiement de forces l'enivrait.

Il se retourna vers le patron du café et se retrouva face à Livia.

— Oh, il y a vraiment de beaux soldats ! commenta-t-elle avec enthousiasme. Et cet uniforme… Oh là là !

C'était la première fois que Livia affichait autre chose qu'une moue méprisante devant Marc et l'attirance qu'elle éprouvait pour les soldats allemands lui donnait encore plus envie de les rejoindre.

— Tu crois qu'ils laisseront les jeunes Français s'engager? demanda-t-il. Quand je serai plus vieux, évidemment.

Un homme sec et musclé, qui venait souvent s'asseoir au *Café Roma* pour fumer un cigare en buvant un expresso, surprit Marc en lui décochant une taloche derrière le crâne.

— Pense à la France, dit-il d'un ton cassant. Ces gens sont tes ennemis, mon garçon. Ce sont eux qui nous balancent des bombes sur la tête. En Pologne, ils violent les femmes et traitent les gens comme du bétail. Bientôt, ce sera notre tour.

Marc se sentait offensé d'avoir été frappé par un homme auquel il n'avait jamais adressé la parole, mais il se souvint de la tristesse qui assombrissait le visage de Jade Morel chaque fois qu'il était fait allusion à ses deux frères portés disparus. D'un autre côté, il n'éprouvait aucun sentiment patriotique. Qu'avait donc fait la France pour lui?

— Avec tes cheveux blonds et tes yeux bleus, dit Livia en regardant le jeune garçon, tu ferais un parfait petit soldat aryen.

Marc ne savait pas trop ce que signifiait ce terme, mais Livia lui avait adressé la parole et ça suffisait pour le mettre dans tous ses états.

— Je suis sûr qu'ils accepteront le maximum de jeunes Français quand ils voudront s'attaquer à l'Empire britannique, dit l'homme sec et musclé. Le

Führer n'est pas très regardant sur l'origine du sang qu'il fait couler.

Une nouvelle colonne de soldats venait d'apparaître au coin de la rue et Marc en voulait à ce type de gâcher l'ambiance. On aurait dit que Livia lisait dans ses pensées, car elle répliqua :

— Fichez le camp, vieux rabat-joie ! On se fiche de ce que vous racontez. Vous préférez qu'ils débarquent comme ça ou qu'ils détruisent Paris rue par rue ?

Vexé, l'homme tourna les talons pour s'en aller, non sans avoir jeté un regard noir à Livia.

— J'ai combattu contre les fascistes italiens ! cracha-t-il. Je suppose que vous étiez de leur côté.

Marc et Livia se regardèrent, comme pour dire : « *C'est quoi, son problème ?* »

∴

Une heure plus tard, Marc était de retour « chez lui ». Il redressa le meuble vitré d'Henderson, mais la collection de vases était en miettes. Il alluma la radio et écouta le bureau français de la *BBC* relater l'invasion disciplinée de Paris et les rumeurs selon lesquelles le gouvernement français avait commencé à négocier la reddition de tout le pays.

À l'inverse, la radio officielle continuait à présenter la capitulation de Paris comme un repli tactique et à prédire avec conviction une contre-attaque qui chasserait les Allemands du territoire. Marc n'avait que douze ans et il avait toujours vécu dans l'isolement, mais même lui flairait la propagande de bas étage.

Il faisait encore chaud et Marc était assis torse nu dans le fauteuil; sa chemise traînait par terre à ses pieds. Quand la musique remplaça les informations, il ferma les yeux et s'abandonna à ses rêves de commandant de char. Dans la journée, il partait à la conquête de pays, vêtu de son bel uniforme allemand; et le soir, il conquérait de jolies filles comme Livia. Hitler le décorait pour ses actes de bravoure. Il aurait une jolie épouse à la campagne et une ou deux maîtresses en ville. Un beau jour, il retournerait à Beauvais avec sa tenue d'officier et une épaisse cravache. Il traînerait le directeur de l'orphelinat sur la place et le rouerait de coups jusqu'à ce qu'il perde connaissance. Ensuite, il écraserait les jambes de ce sale type avec son char.

Il s'esclaffa en imaginant M. Thomas avec les jambes broyées. Mais son hilarité fut brutalement interrompue par des coups violents frappés à la porte. Il bondit hors du fauteuil et rampa jusqu'à la fenêtre en saillie. Trois hommes se tenaient sur le perron. L'un d'eux portait un costume clair; les deux autres arboraient la tenue noire de la Gestapo, la redoutable et redoutée police secrète de Hitler.

N'obtenant pas de réponse, le plus jeune des deux agents de la Gestapo dégaina un pistolet et fit sauter la serrure de la porte d'entrée. Marc sursauta. Il éteignit la radio et se précipita dans le couloir, au moment où l'un des Allemands enfonçait la porte d'un coup d'épaule. Il fut obligé de faire demi-tour et de se glisser dans un petit espace entre un fauteuil et le mur.

— Henderson a fichu le camp dans le sud, déclara l'homme au costume clair, d'un ton furieux, à l'un des agents de la Gestapo, pendant que l'autre montait inspecter le premier étage. Il sait que l'on a démasqué tous ceux qui sont restés. Il n'avait aucune raison de demeurer à Paris.

— Non, répondit l'homme de la Gestapo. Henderson va rester pour tenter de monter un autre réseau d'espions. J'ai moi-même interrogé les suspects britanniques et tous m'ont affirmé qu'il était très déterminé.

— « Interrogé » ou « torturé » ? ironisa l'homme en civil. Quand vous obligez les gens à parler, à votre manière, ils finissent toujours par vous dire ce que vous voulez entendre.

— Je connais mon travail, Herr Potente, rétorqua l'agent de la police secrète. Et ce n'est plus vous qui commandez. J'ai reçu ordre de mener les opérations de contre-espionnage à Paris, et Henderson est notre priorité numéro un.

Un grand fracas se produisit à l'arrière de la maison lorsqu'un autre agent de la Gestapo, qui était passé par-derrière, enfonça d'un coup de talon la porte de la cuisine.

— Herr Oberst[2] ! s'exclama l'homme en uniforme noir en faisant claquer les talons de ses bottes et en exé-

---

2. Officier de haut rang de l'armée allemande.

cutant le salut nazi. Personne n'a essayé de s'enfuir par-derrière. Les maisons voisines semblent inoccupées.

L'autre officier dévala l'escalier.

— C'est vide là-haut, déclara-t-il. Mais le lit est défait, comme si quelqu'un avait couché dedans récemment. Et des vêtements mouillés sèchent au-dessus de la baignoire ; ils appartiennent à un garçon ou à un homme de très petite taille. À mon avis, ils ont été lavés hier soir ou ce matin.

Le cœur de Marc cognait dans sa poitrine. Les quatre hommes se tenaient sur le seuil de la pièce, à moins de cinq mètres de lui.

— Un garçon…, dit l'Oberst en se massant le menton d'un air songeur. Trouvez-le. Et rassemblez le maximum de témoins. Interrogez-les. Usez de la force si nécessaire. Toutefois, on nous a demandé de nous comporter en gentlemen jusqu'à ce que Paris soit totalement occupé. Alors, si jamais vous faites des « sale-tés », pensez à nettoyer derrière vous.

— Bien, Herr Oberst, répondit un des officiers, avant de ressortir par la porte d'entrée pour appeler deux soldats qui montaient la garde devant la grille.

— Nous devons fouiller les lieux avec prudence, dit Herr Potente aux deux autres officiers. Quand nous avons capturé les espions anglais, nous avons décou-vert plusieurs objets piégés. Un de mes hommes a perdu trois doigts : un meuble de classement a explosé devant lui.

L'Oberst hocha la tête.

— Soyez vigilants, donc. Mais ne perdez pas de temps. L'Obergruppenführer Heydrich suit personnellement l'affaire Mannstein. Il est extrêmement mécontent que Digby Clarke ait réussi à quitter Paris.

— Je me suis entretenu avec Mannstein à l'hôtel hier soir, dit Potente. Il déplore que ses plans aient été volés par Clarke, mais il pense pouvoir les redessiner en l'espace de quelques semaines.

— Certes, mais il ne faut pas que les Britanniques quittent la France avec ces plans ! s'emporta l'Oberst. Et je veux mettre la main sur Henderson avant qu'il puisse recruter de nouveaux espions. Si on ne récupère pas Henderson, Clarke *et* les plans, je veillerai à ce que votre prochaine affectation ne soit pas une sinécure, Herr Potente. Je me fais bien comprendre ?

— Oui, Herr Oberst ! répondit Potente en faisant le salut nazi.

Marc était terrorisé. Il n'avait saisi que la moitié de la conversation en allemand, mais c'était suffisant pour comprendre que ces hommes étaient prêts à le torturer pour lui arracher des renseignements.

CHAPITRE VINGT ET UN

Le père Doran et sa sœur Yvette exploitaient encore un hectare de terres autour de la petite ferme dans laquelle ils étaient nés, il y avait plus de soixante-dix ans. Curé de la paroisse depuis presque un demi-siècle, le père Doran était un des hommes les plus respectés de la région. Personne n'avait été surpris quand le frère et la sœur avaient recueilli trois enfants, et plusieurs voisins avaient offert leur aide, surtout pour le petit Hugo, qui était arrivé avec pour seul bien ce qu'il avait sur le dos.

Les Doran s'arrêtaient toujours deux heures en milieu de journée pour partager un copieux repas constitué de légumes du potager et de viande provenant d'une ferme voisine. Ce jour-là, après une soupe et un rôti de bœuf accompagné d'une sauce au vin, Paul et Rosie avaient du mal à finir leur part de tarte aux fruits. Hugo, lui, avait à peine touché aux deux premiers plats, préférant garder le maximum de place dans son estomac pour le dessert.

— Des amis vont venir jouer aux cartes cet après-midi, annonça le père Doran en se tamponnant les lèvres avec sa serviette. Si vous restez dans la maison tous les trois, ne faites pas de bruit.

Les enfants hochèrent la tête et quittèrent la table. Rosie se rendit dans la cuisine pour aider Yvette à faire la vaisselle, pendant que Hugo suivait Paul au premier étage, dans la chambre qu'ils partageaient tous les trois. Paul et Rosie dormaient dans le grand lit et on avait disposé sur le plancher deux gros coussins de canapé pour Hugo. Mais celui-ci, affirmant qu'il avait peur dans le noir, se faufilait régulièrement sous les draps pour se coucher entre le frère et la sœur.

— On va jouer dehors ? demanda Hugo, tandis que Paul sortait de sous le lit une valise marron.

— Non, je veux encore jeter un coup d'œil à ces papiers. Papa se plaignait toujours de ne pas avoir de mémoire. Il a forcément noté les coordonnées d'Henderson quelque part.

— Allez, s'il te plaît ! gémit le petit garçon.

— Tu viens de manger la moitié d'une tarte à toi tout seul, répondit Paul en ouvrant la valise. Tu vas vomir si tu cours partout.

— Pfff ! C'est pas marrant ! soupira Hugo en se laissant tomber sur le lit, à côté de la valise.

Paul s'assit au bord et prit le carnet de son père. Il l'avait déjà épluché une dizaine de fois et se souve-

188

nait presque par cœur de tous les mots et les chiffres qui y figuraient.

Pendant ce temps, Hugo fouillait dans la valise.

— Ne mets pas le bazar dans les papiers, dit Paul.

Il constata que l'enfant avait sorti l'étui à cigares de son père. M. Clarke transportait toujours dans sa mallette ce gros étui à compartiments pouvant accueillir six havanes, afin de pouvoir en offrir à ses clients.

— Oui, tu peux jouer avec ça si tu veux.

Tandis que Paul se creusait les méninges pour tenter de repérer un détail qui lui aurait échappé dans le carnet, Hugo dévissa le couvercle en métal. Il sortit le plus gros des havanes et le plaça entre ses lèvres.

— Regarde, Paul !

— J'essaye de me concentrer.

— Pourquoi les enfants ont pas le droit de fumer ? demanda Hugo en faisant mine de cracher de la fumée.

Paul haussa les épaules.

— Je ne sais pas. De toute façon, les adultes interdisent toujours aux enfants tout ce qui est amusant. Un jour, Rosie a allumé un des cigares de notre père par bravade. Elle a vomi partout et notre mère lui a flanqué une fessée avec sa brosse à cheveux.

Hugo rangea le cigare en riant.

— Quand je serai grand, je fumerai cinquante cigares et cent cigarettes par jour !

— Pas moi, dit Paul. Je n'aime pas cette odeur. Mon père n'a jamais fumé.

— Pourquoi il avait des cigares, alors ?

— Pour ses clients. Il disait que si on offre un cigare à un client, il est obligé de rester assis à écouter votre laïus, jusqu'à ce qu'il ait fini de le fumer.

— C'est quoi, un laïus ? demanda le garçonnet en lançant l'étui en l'air.

— Hé ! s'exclama Paul. C'était à mon père ! Ne l'abîme pas.

Mais Hugo avait déjà récidivé. Cette fois, l'étui heurta le plafond, changea de trajectoire et vint rebondir contre le bord d'une commode avant d'atterrir avec fracas sur le plancher.

— Imbécile ! rugit Paul en se penchant par-dessus le garçon pour ramasser l'étui. Interdiction de toucher aux affaires de mon père dorénavant !

Hugo se retourna vers Paul et l'aspergea de postillons en faisant *Pffft !*

— Arrête, Hugo ! Tu veux que je te file une correction ?

— Puisque c'est comme ça, je vais dehors, dit le garçonnet en sautant du lit avec une moue boudeuse. C'est pas marrant !

Pendant qu'il descendait l'escalier d'un pas lourd, Paul soupira en constatant que le bas de l'étui s'était détaché. Il s'apprêtait à le remettre en place quand il aperçut un petit bout de fil électrique. En soulevant le fond de l'étui, il découvrit une petite ampoule bleue et un deuxième fil relié à une pile plate.

Il s'agissait visiblement d'une sorte de lampe dont l'interrupteur était encastré dans le couvercle. En

190

l'actionnant, Paul fut déçu de constater qu'elle produisait uniquement un petit point lumineux bleuté. Étrange.

Une lampe ne sert qu'à une seule chose, à éclairer, et puisqu'il cherchait un message caché, Paul décida de la pointer sur les feuilles du carnet…

Rien sur les premières pages, mais sur la troisième, plusieurs traits bleus, très légers, apparurent quand il approcha la lampe.

Il brûlait d'envie de dévaler l'escalier pour annoncer à Rosie qu'il avait découvert quelque chose, mais sa sœur était un tel rabat-joie qu'il préféra continuer seul. Il tira la couverture sur sa tête et essaya de nouveau dans l'obscurité. Les marques bleues apparaissaient plus nettement, mais ce n'étaient que des gribouillis, comme lorsqu'on essaye un stylo.

Il n'y en avait aucun sur les trois pages suivantes, mais Paul sentit son cœur s'emballer quand la lumière bleue fit briller l'écriture de son père sur toute une feuille : des noms, des numéros de téléphone, des dates, des heures et des lieux de rendez-vous.

En feuilletant la suite du carnet, Paul découvrit d'autres notes mises en évidence par la lumière bleue. Hélas, aucune ne semblait concerner Henderson et son inquiétude ne cessa de croître à mesure qu'il approchait de la dernière page.

Mais soudain, un peu avant la fin, il tomba sur ces mots, sans doute griffonnés à la hâte : *Henderson C. Dom : 34451 Ambassade : 34200.* Survolté, Paul repoussa la couverture et se jeta sur le premier papier qui lui tombait sous la main pour noter les numéros avant de les oublier.

Cela étant fait, il descendit à toute allure dans la cuisine et agita le bout de papier sous le nez de Rosie, occupée à essuyer un plat avec un torchon.

— Tu plaisantes ? s'exclama-t-elle avec un grand sourire.

Elle noua ses mains humides dans le dos de son frère pour le serrer contre elle.

— Comment tu as fait ? Je vais demander au père Doran où est le téléphone le plus proche. On va pouvoir l'appeler immédiatement.

— Père Doran ! cria Paul en se précipitant dans le salon. On a le numéro de monsieur Henderson !

Le vieux prêtre avait débarrassé la table et sorti les cartes et les verres à vin pour ses amis. Il sourit.

— Vraiment ?

— Oui. J'ai découvert une lampe spéciale, expliqua Paul. Elle fait apparaître des mots cachés dans le carnet de mon père.

— Ah, oui, fit le père Doran en hochant la tête. La lumière ultraviolette. Je crois que le Vatican a utilisé une méthode similaire pour faire passer des messages durant la Grande Guerre. C'est merveilleux !... À condition que cet Henderson soit toujours à Paris.

— Et que les lignes téléphoniques fonctionnent, ajouta Rosie. Paris est occupé par les Allemands maintenant. Je ne sais pas si on peut joindre quelqu'un. Il nous faut un téléphone, mon père. Connaissez-vous quelqu'un qui en a un par ici ?

— Il y a, à trois kilomètres d'ici, un vignoble qui appartient à une veuve. Elle a le téléphone et je suis sûr qu'elle vous laissera l'utiliser, s'il fonctionne.

— Formidable ! s'écria Paul. Allons-y de ce pas !

CHAPITRE VINGT-DEUX

— Je le tiens! s'exclama triomphalement un des officiers en tirant Marc hors de sa cachette.

Avant même de comprendre ce qui lui arrivait, le jeune garçon fut projeté au fond du siège, face à l'Oberst qui le toisait.

— Comment tu t'appelles? cria l'homme en uniforme noir, dans un français aussi approximatif que l'allemand de Marc.

— Pierre Henri.

— Tu parles allemand?

Marc hocha la tête.

— Un peu.

— Si tu as compris notre conversation, tu sais ce que je veux entendre.

Marc secoua la tête docilement.

— Tout ce que je sais, c'est que cet Henderson vit ici. Mais je ne le connais pas. Je ne l'ai jamais vu.

— Alors, que fais-tu chez lui?

— J'arrive du nord, expliqua Marc. Je suis entré ici pour m'abriter.

— Les portes et les fenêtres sont intactes, fit remarquer l'Allemand.

Il se tourna vers un de ses subalternes.

— Je ne crois pas ce qu'il raconte. Allez chercher mon sac dans la voiture.

— Je vous jure que c'est la vérité, monsieur! J'ai enlevé la fenêtre de la salle de bains. Il y a encore le trou, vous pouvez aller voir si vous ne me croyez pas.

Sans prévenir, l'homme de la Gestapo se saisit de Marc, l'arracha au fauteuil et le gifla violemment.

— Je ne te crois pas et tu dois t'adresser à moi en disant *Herr Oberst*, c'est bien clair?

Sonné par ce coup, Marc sentait sa narine se gorger de sang. Jugeant qu'il tardait à réagir, l'homme le traîna à travers la pièce et lui cogna la tempe contre le mur.

— J'ai compris, Herr Oberst, dit Marc qui voyait des étoiles et luttait contre les larmes, tandis que du sang coulait sur sa lèvre supérieure.

— Où est Henderson? cria l'Oberst en enfonçant deux doigts dans l'estomac du garçon.

— Je vous jure que je ne sais pas!

L'homme de la Gestapo se tourna vers un des officiers.

— Allez examiner la fenêtre de la salle de bains, ensuite, cherchez ses affaires dans la maison.

L'officier claqua des talons et quitta la pièce au moment où son camarade revenait en tenant une sacoche de médecin en cuir. Des objets métalliques s'entrechoquèrent à l'intérieur quand il le déposa sur la table.

— Prenez les tenailles, ordonna l'Oberst. Et tenez ce garçon par le cou.

Marc avait du mal à tenir debout à cause des coups reçus et il n'opposa aucune résistance quand l'officier vint se placer derrière lui pour lui enserrer le cou avec son bras.

— Je t'offre une dernière occasion de me raconter tout ce que tu sais sur Henderson, dit l'Oberst en appuyant le métal froid des pinces contre l'extrémité du nez ensanglanté de Marc.

Celui-ci envisagea d'inventer quelque chose pour faire plaisir à son tortionnaire, mais il savait qu'un mensonge ne ferait qu'aggraver son cas ; de toute façon, il avait l'esprit trop embrumé pour trouver une histoire convaincante.

— Je vous jure que je ne sais rien, sanglota-t-il, alors que son sang gouttait sur la manche de l'officier.

— C'est ce que nous allons voir, répondit l'Oberst en pinçant les narines de Marc pour l'obliger à ouvrir la bouche.

— Je vous en supplie, gémit le garçon.

Il sentit le bras serrer sa gorge.

L'homme de la Gestapo enfonça les tenailles dans la bouche de Marc et les referma sur une des dents du haut. Il exécuta un mouvement de torsion et le sang jaillit, accompagné d'une douleur qui dépassait de loin tout ce M. Thomas avait pu lui infliger. La dent produisit un craquement sinistre quand l'Oberst l'arracha à la gencive de Marc, puis elle tomba sur le sol avec un petit bruit cristallin.

— J'exige que tu me dises tout ! aboya le tortionnaire, tandis que l'officier desserrait légèrement l'étau de son bras.

— Je vous jure que je ne connais pas Henderson ! cria Marc.

Ses paroles étaient à peine compréhensibles car sa langue pataugeait dans le sang qui remplissait sa bouche.

— Je viens d'arriver ici. Je n'ai jamais vu cet homme.

— La mémoire te reviendra peut-être quand je t'aurai arraché d'autres dents.

— Non, par pitié, sanglota Marc. Je n'ai jamais rien fait de mal. Je n'ai rien à voir avec cet Henderson.

Le deuxième officier revint en brandissant le sac en peau de porc et les vêtements humides de Marc.

— Herr Oberst ! La fenêtre de la salle de bains n'est plus à sa place. Il n'y a aucune affaire appartenant à un jeune garçon dans la maison, à part celles qui tiennent dans ce sac. Il possède également une grosse quantité d'argent.

L'Oberst examina la liasse de francs, puis reporta son attention sur Marc dont le visage virait au bleu à force d'avoir le nez pincé et le cou serré.

— C'est une coquette somme, dit l'homme de la Gestapo. Tu l'as trouvée ici ?

Marc secoua la tête.

— C'est à moi.

Un large sourire fendit le visage de l'Oberst.

— Plus maintenant, rétorqua-t-il en fourrant l'argent à l'intérieur de sa tunique.

Il se tourna vers ses trois subalternes.

— Ce soir, nous allons manger et boire comme des rois, plaisanta-t-il. Je crois que notre jeune ami dit la vérité.

Marc s'écroula par terre comme un sac quand l'officier le lâcha. En voulant inspirer une grande bouffée d'air, il avala du sang et fut pris d'une violente quinte de toux, alors que l'Oberst venait se planter devant lui.

— Si jamais tu parles à quiconque de tout ça, je te retrouverai et je te tuerai… très lentement.

Marc ne put retenir des larmes de douleur quand il leva les yeux vers les quatre nazis rigolards. Il se sentit idiot en repensant aux fantasmes guerriers qu'il nourrissait un peu plus tôt. Les gens comme lui ne commandaient pas des chars allemands, ils étaient broyés par leurs chenilles.

Contrairement à l'Oberst, Potente n'appréciait pas de voir un garçon de douze ans se faire torturer et il était sorti pour fumer.

— Laissez-moi deviner, dit-il en grimaçant quand il revint dans la maison et découvrit le torse nu et ensanglanté de Marc. Ce gamin est un réfugié et il ne sait rien.

L'Oberst se dressa sur ses talons et lança, d'un ton agacé :

— Herr Potente, puisque vous êtes un si grand spécialiste, voulez-vous avoir la bonté de m'expliquer pourquoi vos hommes ont laissé filer Henderson et Clarke ?

L'Oberst était un homme puissant et Potente n'osa pas s'exprimer aussi franchement qu'il l'aurait souhaité.

— Votre Gestapo aura bientôt des centaines d'hommes à Paris, Herr Oberst. Je n'en avais que six et je travaillais en territoire ennemi. Je regrette que nous ayons échoué, mais nos ressources étaient extrêmement limitées.

L'Oberst rejeta cet argument d'un geste méprisant.

— Je dois partir. Il faut que je trouve un bâtiment qui puisse accueillir le quartier général de la Gestapo. Vous m'avez parlé d'un excellent hôtel, n'est-ce pas ?

— Oui, Herr Oberst. L'hôtel *Étalon* dans le huitième arrondissement. C'est là que je loge avec Mannstein. Le confort y est remarquable.

— Bien. Peut-être que je réquisitionnerai cet établissement pour la Gestapo. Quand j'étais en Autriche, j'ai découvert que les chambres d'hôtel se transformaient très aisément en cellules et salles d'interrogatoire.

— Et cette maison, Herr Oberst ? demanda l'officier qui avait immobilisé Marc. Doit-on la surveiller, au cas où Henderson reviendrait ?

L'Oberst réfléchit.

— Je suis d'accord avec Potente : Henderson n'a aucune raison de revenir. Mais postez quand même un guetteur dans la maison voisine pendant quelques jours, on ne sait jamais.

— Et le garçon ?

L'Oberst toisa Marc et haussa les épaules.

— Inutile de le tuer. Laissez-le se remettre ici un moment, puis flanquez-le dehors.

— À vos ordres, Herr Oberst ! dit l'officier en saluant.

Au moment où l'homme de la Gestapo s'apprêtait à partir, le téléphone posé sur le bureau sonna. Potente se précipita pour décrocher.

— Allô ? fit-il en français, tout en essayant de prendre un petit accent anglais. Charles Henderson à l'appareil.

∴

Rosie se trouvait dans le hall d'une vaste demeure sous une tête de cerf fixée au mur ; elle tournait le dos à un escalier.

— C'est Henderson ? chuchota Paul, impatient.

Rosie sourit et acquiesça, faisant signe à son frère de se taire.

— Monsieur Henderson! Dieu soit loué, vous êtes là! Vous ne me connaissez pas, mais je pense que vous connaissiez mon père, Digby Clarke.

— Oui, très bien, répondit chaleureusement Herr Potente.

— Il a été tué lors d'un bombardement aérien la semaine dernière. La dernière chose qu'il nous a demandée, c'est d'essayer de vous retrouver.

— Je vois, dit Potente, qui devait faire un effort pour masquer son excitation. Toutes mes condoléances. Votre père était un homme bon et un grand serviteur de son pays.

— Merci, dit poliment Rosie.

— Je crois savoir que votre père détenait des documents importants. Savez-vous où ils se trouvent?

— Oui! C'est justement pour ça qu'on vous contacte. On a gardé tous les plans et les documents qui concernent la radio de Mannstein. On voulait se rendre dans le sud pour les emporter avec nous sur un bateau, à Bordeaux, mais on nous a volé notre essence et...

— Où êtes-vous maintenant?

Potente s'aperçut soudain qu'il aurait dû prendre un ton compatissant.

— Pardon, vous avez vécu un terrible drame. Tu dois être la fille de Digby, Rosie, c'est bien cela?

— Oui, monsieur Henderson. Nous sommes près de Tours, dans la ferme d'un prêtre à la retraite. On y est très bien, mais on essaiera de repartir vers le sud avec les documents, si c'est ce que vous voulez.

— Non! répondit Potente sèchement. Les routes restent dangereuses. Et j'ai cru comprendre que vous n'aviez pas de moyen de locomotion?

— Aucun, confirma la fillette. Mais le prêtre qui s'occupe de nous semble avoir un tas de relations, il pourrait peut-être s'arranger pour...

— Inutile de l'embêter avec ça. Je suis à Paris, nous sommes donc séparés par la ligne de front désormais. Je pense pouvoir trouver un moyen de la franchir, mais il me faudra peut-être un jour ou deux pour vous rejoindre.

— Et ensuite? demanda Rosie. Vous pourrez nous faire embarquer sur un bateau pour l'Angleterre?

— Très certainement, dit Potente d'un ton rassurant. Mais la communication risque d'être coupée à tout moment, donnez-moi l'adresse de la ferme où vous logez. Ne bougez pas et ne vous inquiétez pas. Vous êtes en sécurité.

∴

Marc était toujours allongé par terre, la bouche pleine de sang, lorsque Herr Potente raccrocha le téléphone et adressa un grand sourire à l'Oberst.

— Le destin est de notre côté, dit-il en agitant le carnet dans lequel il avait noté le nom de la ferme.

— Pfft! La chance, cracha l'homme de Gestapo. Je n'aime pas compter sur la chance. Vous auriez dû mettre ce téléphone sur écoute depuis le début.

Potente secoua la tête sous l'effet de la frustration.

— Ce n'était pas possible tant que Paris était sous le contrôle des Français. Je n'avais que six hommes sous mes ordres et…

— Oui, oui, je sais, l'interrompit l'Oberst. J'ai déjà entendu vos excuses. Qu'avez-vous l'intention de faire maintenant ?

Potente réfléchit une seconde.

— Le problème, dit-il, c'est que les documents se trouvent derrière les lignes françaises. Si leur armée se regroupe à la sortie de Paris…

L'Oberst éclata de rire.

— L'armée française n'est plus en état de se regrouper. La seule chose qui retarde notre avancée, ce sont les troupes françaises qui battent en retraite et bloquent les routes.

— Il me faudra une voiture et de l'essence pour aller jusqu'au front, dit Potente.

— Très bien. Herr Schmidt se chargera de tout ça. Sur ce, je dois me rendre à l'hôtel *Étalon*. Je vais faire en sorte que Mannstein soit emmené en Pologne et je l'informerai qu'il retrouvera ses plans dans quelques jours.

Potente semblait perplexe.

— Je croyais que l'on construisait une usine pour Mannstein en Allemagne ?

L'Oberst secoua la tête d'un air méprisant.

— Ne soyez pas idiot ! Mannstein est juif. Les SS possèdent en Pologne des installations spéciales pour les savants et les chercheurs juifs.

— Je doute que ça lui plaise, dit Potente. Nous avons conclu un accord qui prévoyait la construction d'une usine à Hambourg. Le nom de Mannstein a peut-être une consonance juive, mais il a épousé une catholique. Au pire, c'est un juif non pratiquant…

— Je suis sûr que les gardes SS veilleront à ce que Mannstein s'adapte à son nouveau foyer. *(L'Oberst sourit.)* Et je n'ai pas l'intention de débattre de la politique de la Gestapo avec un simple officier de l'Abwher. C'est bien clair, Herr Potente ?

— Bien sûr, Herr Oberst. Une dernière question, toutefois. Que voulez-vous que je fasse des enfants Clarke, une fois que j'aurai récupéré les documents ?

L'homme de la Gestapo haussa les épaules.

— Ils savent peut-être des choses sur Henderson, alors veillez à ce qu'ils soient correctement interrogés. Puis tuez-les.

CHAPITRE VINGT-TROIS

Marc se réveilla dans le salon obscur. Un homme lui tapotait la joue pour lui faire reprendre connaissance. L'intérieur de sa bouche était tapissé de sang coagulé.

— Reste calme, dit l'homme penché au-dessus de lui, d'un ton apaisant. Tiens, bois un peu.

Marc s'appuya sur un coude et découvrit sa dent ensanglantée sur le plancher, à ses pieds. Il prit la tasse émaillée que lui tendait l'homme et but goulûment plusieurs gorgées d'eau. Il était groggy et le trou dans sa gencive l'élançait.

— Qui êtes-vous ? demanda-t-il en observant l'homme râblé à la barbe hirsute et aux lunettes rondes.

— Je m'appelle Henderson. Charles Henderson.

Marc grimaça. Il s'était introduit par effraction dans la maison de cet homme et il avait pris ses aises.

— Les Allemands vous cherchent ! dit-il d'une voix enrouée, alors que le nommé Henderson l'aidait à se redresser en position assise. Ils ont posté quelqu'un dans la maison voisine…

Henderson mima un couteau qui tranche une gorge et émit un petit râle.

— Plus maintenant, dit-il avec un sourire qui dévoila une belle rangée de dents. Eh bien, as-tu trouvé ma maison à ton goût ? Ça fait bien une semaine que tu es installé ici.

Marc n'en revenait pas.

— Si vous saviez, pourquoi vous ne m'avez pas flanqué dehors ?

— J'étais occupé.

Charles Henderson était un bel homme, assurément, mais un rasage et un bon shampoing s'imposaient.

— En outre, ajouta-t-il, ta présence faisait croire que j'avais fichu le camp.

Il sortit de sa poche de veste une flasque dont il dévissa le bouchon.

— Du whisky, dit-il en la tendant à Marc. Rince-toi la bouche avec et crache dans la tasse. Tu n'aimeras sûrement pas le goût, mais c'est un désinfectant naturel et l'alcool va endormir la douleur.

Le jeune garçon avait les yeux embués de larmes et ses mains tremblaient. Henderson lui donna un torchon humide pour essuyer son visage.

— Les Allemands qui t'ont fait ça… tu les as entendus parler ?

— Oui. Ils ont dit un tas de choses. Je suis pas sûr de me souvenir de tout.

— Fais un effort. Commence par le commencement.

206

— Il était question d'« agents » et d'un certain Mannstein. Mon allemand n'est pas parfait. Et ils parlaient à toute vitesse.

— Peu importe, dit Henderson. Je sais que tu souffres, mais essaye de te souvenir du maximum de choses.

Marc avala par mégarde une gorgée de whisky et il fut pris aussitôt d'une quinte de toux.

— Ne t'inquiète pas. Ce n'est pas grave si tu bois quelques gouttes. Tu es en état de choc, ça peut même t'aider à retrouver ton calme.

— Je ne sais pas de qui ils parlaient, mais il paraît que tous les agents ont été démasqués, ou un truc comme ça.

Henderson hocha la tête.

— Mauvais.

— Ça veut dire quoi ? demanda l'orphelin.

— Quand les services secrets britanniques ont appris que les Allemands projetaient d'envahir la France, nous avons commencé à recruter des agents qui devaient rester sur place pour opérer derrière les lignes ennemies. On ignore de quelle manière – la trahison d'un agent double, la torture ou autre chose –, toujours est-il que les Allemands ont mis la main sur les noms et les adresses de tous les espions britanniques opérant en Europe, moi y compris. Les nazis ont capturé et tué plus de deux douzaines d'agents quand ils ont envahi la Belgique et la Hollande. Nos contacts en France ont eu le temps de s'enfuir, mais nous n'avons plus aucun renseignement à nous mettre sous la dent. À ma connaissance, je suis le dernier agent anglais opérationnel en France.

— C'est moche.

— Et Mannstein? demanda Henderson. Tu disais que son nom avait été prononcé.

— Oui. Ils ont parlé d'un hôtel où il logeait. L'*Étalon*, je crois. Et l'Oberst, le gars de la Gestapo, a dit qu'il allait réquisitionner l'hôtel.

L'excitation s'empara d'Henderson.

— L'Oberst! L'Oberst Hinze était là?

— Je ne sais pas. Ils l'appelaient juste Oberst.

— Un grand type? Avec des cheveux bruns gominés et une drôle de boule dans le cou?

— Oui, c'est lui! C'est ce salaud qui m'a arraché une dent.

— Estime-toi heureux qu'il se soit arrêté là. C'est un sale individu. Remarque, on peut en dire autant de la plupart des types en uniforme noir.

— Pourquoi ça? demanda Marc.

— Les uniformes verts sont ceux des soldats allemands ordinaires. La plupart ont été mobilisés pour aller se battre au nom de l'Allemagne, comme les jeunes Français et Anglais ont été enrôlés dans les troupes alliées. Mais les uniformes noirs, ce sont les SS. Les régiments d'élite des nazis, dont fait partie la Gestapo. Des fanatiques. Des purs et durs qui n'obéissent qu'à Hitler.

208

— En tout cas, il se pavanait comme si le monde lui appartenait, dit Marc.

— Et Mannstein se trouve à l'hôtel *Étalon*?

— C'est ce qu'ils ont dit.

Henderson sourit.

— C'est une des informations les plus utiles que j'ai récoltées cette semaine. Quoi d'autre?

— Au moment où ils allaient repartir, le téléphone a sonné. C'était des enfants, de la région de Tours, qui voulaient vous contacter.

Henderson était dubitatif.

— Je ne connais aucun enfant.

— Celui qui s'appelait Potente s'est fait passer pour vous. Ils ont parlé de plans et il a dit qu'il allait descendre dans le sud pour rejoindre les enfants ou je ne sais quoi.

— A-t-il mentionné Digby Clarke?

Marc hocha la tête.

— Oui, ils ont prononcé ce nom aussi. Apparemment, il est mort. C'est sa fille qui a téléphoné et Potente va se rendre là-bas, à Tours, pour récupérer les plans et interroger les enfants à votre sujet.

Henderson se frappa les joues des deux mains.

— Merde! s'écria-t-il en se redressant et en donnant un coup de pied dans une corbeille à papiers. Je ne peux pas croire que Clarke soit mort. Merde, merde, merde, merde!... On ne peut pas rester ici, ajouta-t-il quand il eut retrouvé son calme. Si la Gestapo découvre le garde que j'ai liquidé, ils te tueront en représailles, comme tous ceux qui auront la malchance de se trouver dans le coin. Tu te sens en état de marcher ?

— J'ai très mal à la gencive, par contre mes jambes vont bien, répondit Marc en prenant appui sur le bras d'un fauteuil pour se mettre debout.

Il avait encore la tête qui tournait, mais il commençait à maîtriser le tremblement de ses mains.

— Je dois me rendre à l'hôtel *Étalon* pour voir Mannstein, dit Henderson en réfléchissant à voix haute. Et à Tours ensuite pour retrouver ces enfants avant que Potente ne mette la main sur eux.

— Je peux peut-être vous aider, déclara Marc. Je ne peux pas rester ici et ils m'ont volé tout mon argent.

— Tu m'as l'air d'être un garçon coriace, dit Henderson, songeur. Et un coup de main sera sans doute le bienvenu, je l'avoue, mais...

— Ils m'ont arraché une dent ! Donnez-moi un flingue et je leur ferai sauter la cervelle à ces salauds !

— Ce n'est pas un jeu, petit. La Gestapo tue les gens comme ça, dit Henderson en faisant claquer ses doigts. Je peux te donner un peu d'argent et te déposer quelque part en ville. Dans le contexte actuel, tu devrais trouver sans peine une autre maison vide.

— Je ne leur avais rien fait, moi ! ajouta Marc, sur sa lancée. Je veux les retrouver. Je sais que je ne suis encore qu'un gamin, mais je suis rusé. Je ne ficherai pas tout en l'air, promis !

Henderson sifflota entre ses dents ; il examinait la proposition de Marc. L'idée de faire courir un danger à un enfant lui déplaisait, mais il était épuisé et, à dire vrai, il n'avait pas très envie de pénétrer seul dans le quartier général de la Gestapo.

Toutefois, il devait mettre en garde son jeune compagnon :

— Si la Gestapo t'attrape, ils te tortureront, puis ils te colleront contre un poteau et te tireront une balle dans la tête.

Marc s'obligea à sourire.

— Dans ce cas, mieux vaut éviter de se faire prendre.

Henderson esquissa un sourire à son tour.

— Bien. Laisse-moi réfléchir quelques secondes. La Gestapo vient juste de débarquer en ville, c'est notre principal avantage. Par ailleurs, Potente est le seul à savoir à quoi je ressemble et il est parti dans le sud. Avec un peu de chance, on peut s'introduire dans l'hôtel, trouver la chambre de Mannstein et le tuer.

Marc étouffa un hoquet.

— Je croyais plutôt qu'on l'aiderait à fuir.

Henderson secoua la tête.

— Nous avons déjà négocié avec lui. Nous lui avons proposé de se réfugier en Grande-Bretagne. Il a choisi de travailler avec les nazis, il ne changera pas d'avis maintenant.

— Ils ont parlé de ça également, précisa Marc. Ils ont fait croire à Mannstein qu'il irait à Hambourg, mais en vérité, l'Oberst Hinze veut l'expédier en Pologne.

— Dans un camp de travail quelconque, sans doute, dit Henderson. Clarke et moi, nous lui avons expliqué que les nazis n'auraient jamais aucun respect pour un juif français, mais il ne nous a pas crus. Il est comme tous ces gens, très nombreux malheureusement, qui se laissent berner par les promesses des nazis et refusent de voir qu'il s'agit en réalité d'une bande de criminels racistes.

Henderson tendit la main vers le haut de la bibliothèque et souleva un abattant caché. Dessous se trouvaient deux boulons qui, quand on les dévissait, permettaient de faire glisser les rayonnages vers l'avant, sur des roulettes.

— La vache ! s'exclama Marc en buvant une autre gorgée de whisky. J'avais pas remarqué ça.

— C'est pour cette raison que je suis revenu, pas parce que je me souciais de ton sort, avoua Henderson.

Il agrippa la cimaise en bois située à mi-hauteur du mur et souleva un panneau totalement invisible, derrière lequel était encastrée une étagère à trois compartiments.

— C'est de l'or ? demanda Marc en voyant étinceler une pile de lingots.

Avant qu'il n'obtienne une réponse à sa question, son œil fut attiré par des boîtes en carton remplies de munitions et trois armes à feu fixées à des crochets.

— Mitraillette légère, dit Henderson en décrochant une des armes pour la montrer au jeune garçon. Ce n'est pas ce qu'on fait de plus précis, mais si tu n'as que cinq secondes pour tuer toutes les personnes qui se trouvent dans une pièce, c'est sacrément pratique.

En revanche, voici quelque chose de plus utile pour le genre de travail qu'on effectue…

Henderson prit un pistolet automatique muni d'un silencieux.

— Je prendrai ça, dit-il. Je te donnerai la mitraillette légère, mais il faudra l'utiliser uniquement en dernier recours car, si tu appuies sur la détente de ce machin, la moitié de Paris sera au courant.

— Et l'or ? demanda Marc.

— Je ne pourrai pas revenir, alors je dois tout emporter. Il y a environ cent mille francs en liquide également, mais si les Boches débarquent avec leur propre monnaie, cet argent ne vaudra plus rien. En revanche, l'or ne se démode jamais.

— Une chance que les Allemands n'aient pas découvert cette cachette. Pourtant, je croyais qu'ils avaient effectué une fouille minutieuse.

Henderson sourit et montra le plafond.

— Je suppose qu'ils ont découvert le pistolet, les faux passeports et les dix mille francs cachés derrière la plinthe à l'étage. Et ils ont cru qu'ils avaient tout trouvé.

— Un faux butin, dit Marc. Astucieux.

Sa langue explora la petite bosse de sang séché qui s'était accumulé à la place de sa dent manquante.

— Si j'avais été vraiment malin, dit Henderson, j'aurais déplacé tout ça avant que les Allemands n'atteignent Paris. Mais avec les derniers événements, les milliers de documents qu'il a fallu détruire à l'ambassade, plus une centaine d'employés à évacuer et deux dizaines d'agents avec leurs familles... Je crois que je n'ai pas dormi plus de trois heures par nuit au cours de ces quinze derniers jours.

— Et maintenant ? demanda Marc.

— On ne se rend pas service en restant ici. Je vais rassembler tout ce dont on peut avoir besoin. Va dans la salle de bains, lave-toi et remets ta chemise. Si tu veux, il doit y avoir des comprimés contre la douleur dans l'armoire à pharmacie. Les Allemands ont instauré un couvre-feu à vingt heures, ça veut dire qu'on a intérêt à se dépêcher si on veut arriver à l'hôtel *Étalon* avant de se faire arrêter par une patrouille.

Henderson tendit la main vers la niche creusée dans le mur pour prendre une petite boîte en fer. Il dévissa le couvercle et sortit une fiole métallique pas plus grande que l'ongle de son pouce.

— C'est quoi ? demanda Marc, alors qu'Henderson la déposait dans sa paume ensanglantée.

— Les espions ne partent jamais sans, expliqua-t-il. C'est une capsule de cyanure. Tu la mets dans ta bouche et tu croques dedans. Moins de vingt secondes plus tard, tu es mort.

— C'est douloureux ?

Marc regardait le drôle de petit comprimé en métal.

— Moins que d'être torturé par l'Oberst Hinze jusqu'à ce que ton cœur lâche. Écoute... Tu n'es pas obligé de venir avec moi. Je ne t'en voudrai pas si tu me demandes de te déposer quelque part.

Marc secoua la tête avec détermination. Henderson lui faisait l'impression d'être un homme bien et, curieusement, la perspective de s'introduire dans l'hôtel *Étalon* pour affronter la Gestapo l'effrayait beaucoup moins que de se retrouver au coin d'une rue et d'errer seul dans Paris.

CHAPITRE VINGT-QUATRE

Charles Henderson n'était pas spécialement heureux d'avoir Marc à ses côtés. Avant de rejoindre l'Unité d'Espionnage et de Recherches, il avait été officier dans les services de renseignement de la marine et, au cours de sa formation, on lui avait appris à ne jamais utiliser des enfants. D'après le manuel, ils étaient trop faibles physiquement, peu fiables ; de plus, incapables de supporter le stress, ils paniquaient et criaient pour un rien.

Mais Marc était le seul renfort qu'il avait sous la main et Henderson ne pouvait pas faire le difficile. Il avait dormi moins de dix heures durant ces quatre derniers jours. Il n'avait pas fait de véritable repas et tenait le coup grâce au café noir et aux pilules de benzédrine. Le plus terrible, c'était de se dire que ce n'était pas terminé. Car s'il ressortait vivant de l'hôtel *Étalon*, il lui faudrait encore franchir les lignes allemande et française, puis se débrouiller pour arriver à Tours avant Potente, qui lui était déjà sur la route.

Henderson conduisait une petite Fiat dont l'horloge de bord indiquait qu'il ne restait qu'une poignée de minutes avant le couvre-feu de vingt heures, même si à cette époque, au mois de juin, il faisait encore jour. Les rues étaient déjà désertes, à l'exception de quelques camions dans lesquels s'entassaient des soldats. La plupart des voitures particulières avaient quitté la capitale, bourrées de civils, et les quelques conducteurs qui restaient ne voulaient pas courir le risque d'être utilisés comme exemples par l'occupant. En effet, tout le monde avait vu dans les journaux les photos des corps pendus aux lampadaires, à Varsovie.

Marc était assis à l'avant. Le mélange d'adrénaline et de whisky l'aidait à se sentir mieux et les nombreuses corrections reçues à l'orphelinat avaient élevé son seuil de tolérance à la douleur. En revanche, Henderson l'inquiétait. La sueur coulait sur son visage, il conduisait comme un fou et, à deux ou trois reprises, son regard devint vitreux. Marc crut que la voiture allait finir encastrée dans un mur.

Ils passèrent devant l'hôtel *Étalon* à huit heures moins six précisément. L'allée qui conduisait à l'entrée principale était bordée de *Kübelwagens* décapotées et de trois immenses berlines Mercedes utilisées par les officiers supérieurs allemands.

— Quatre soldats gardent l'entrée, remarqua Marc, alors qu'Henderson tournait et s'arrêtait dans une étroite rue perpendiculaire.

— Je les ai vus.

Il descendit de voiture et regarda autour de lui.

— Il faut entrer avant le couvre-feu, sinon on est foutus.

Il sortit de la Fiat un sac en toile contenant la mitraillette légère partiellement assemblée et le tendit à Marc.

— Comment on va faire pour entrer ? demanda celui-ci.

Le poids du sac faillit lui arracher le bras.

— Dans tous les hôtels chics, il y a une entrée de service. Généralement, elle se trouve derrière.

— Peut-être qu'elle est gardée aussi, souligna Marc. Et même si on réussit à entrer, comment on fera pour repartir quand toute la ville sera sous couvre-feu ?

— Bonnes questions, dit Henderson, alors qu'ils marchaient d'un pas vif vers l'arrière de l'hôtel. Je te donnerai les réponses dès que je les aurai.

En tournant à gauche, ils atteignirent une rampe en béton où flottait une brume de vapeur qui s'échappait des cuisines de l'hôtel. Des ordures puantes débordaient des grandes poubelles en fer-blanc. Trois employés fumaient devant une porte ouverte et un soldat allemand qui semblait s'ennuyer ferme était assis derrière eux sur une marche.

— Comporte-toi comme si on faisait ça tous les soirs, glissa Henderson à Marc, alors qu'ils approchaient de la porte. Bonsoir, messieurs ! lança-t-il gaiement, avec un signe de tête adressé aux fumeurs.

218

Leurs visages trahirent une certaine perplexité, mais c'était un grand hôtel et ils ne connaissaient pas toutes les personnes qui y travaillaient. Le soldat allemand tendit la jambe pour les empêcher de passer.

— Mon français, pas très bon, dit Henderson. Moi, expliqua-t-il en se montrant du doigt, veilleur de nuit. Mon fils, cirer les chaussures.

L'Allemand, qui semblait mécontent d'avoir reçu ordre de monter la garde pour sa première nuit à Paris, leva la tête d'un air accablé et pointa le pouce en direction de la cuisine.

— Allez-y !

Une chaleur infernale s'abattit sur Marc quand ils entrèrent. Un couloir crasseux les conduisit dans les cuisines, où trois hommes, aussi frustes que ceux qu'il avait vus sortir de la pension Raquel, récuraient d'énormes faitouts devant un bac qui ressemblait à un abreuvoir. Un autre homme passa à toute allure en tenant une caisse pleine de bouteilles de champagne vides.

Marc aurait parié qu'il ne pouvait pas faire plus chaud, et pourtant, quand ils atteignirent le centre des cuisines, il crut que le soleil s'était écrasé sur sa tête. Il semblait impossible de respirer, et à plus forte raison de travailler, avec cette chaleur ; malgré tout, des dizaines d'employés transportaient, coupaient, faisaient bouillir ou griller des aliments, et sortaient des fours d'immenses plats brûlants.

Marc et Henderson captèrent quelques regards intrigués, mais personne n'avait le temps de poser des questions. Quand les serveurs franchissaient les portes battantes qui donnaient sur le restaurant, on entr'apercevait une salle remplie d'uniformes noirs. Tout au fond, quelqu'un faisait un discours au milieu des rires avinés.

— S'ils sont ivres, tant mieux, commenta Henderson avec un sourire.

Ils sortirent des cuisines et se retrouvèrent dans un étroit couloir aux murs tachés d'humidité.

— Souviens-toi, Marc : la confiance en soi est la clé. Tu dois toujours donner l'impression que tu sais où tu vas, même si tu n'en as pas la moindre idée.

Marc avait peur et la tête lui tournait un peu, mais au moins, dans ce couloir la chaleur était juste étouffante et non plus insupportable. Au bout d'une vingtaine de mètres, ils atteignirent un escalier en bois qui conduisait au sous-sol. En bas, une porte s'ouvrait sur une pièce contenant deux gigantesques machines à laver. Derrière ces machines, une femme étendait des draps blancs sur une machine à repasser, puis elle les reprenait et les pliait en carrés parfaits.

Voyant arriver Henderson et Marc, elle les regarda avec curiosité. De toute évidence, elle ne recevait pas souvent de la visite.

— Bonsoir, lui dit Henderson. On vient d'être engagés. On m'a demandé de déboucher les toilettes d'un client nommé Mannstein.

220

La femme haussa un seul sourcil.

— Comment diable avez-vous atterri ici ?

— J'ai suivi le couloir.

Elle regarda Marc.

— Et vous avez amené votre fils avec vous ?

— Cireur de chaussures, déclara le garçon.

— On n'en a jamais eu ici, dit la lingère. Habituellement, c'est le veilleur de nuit qui s'occupe des chaussures quand c'est calme à la réception.

— Ils voulaient quelqu'un en plus, expliqua Henderson. Tous ces Allemands ont besoin de faire nettoyer leurs bottes.

— Ah, les Allemands ! *(La femme cracha dans un drap, avant de le plier.)* J'étais bien tranquille ces dernières semaines, Paris était calme. Maintenant, ils courent partout. Ils ont flanqué nos clients dehors, même ceux qui habitaient ici depuis des années. Puis ils sont descendus à la cave et ils ont fait main basse sur les meilleurs vins et le champagne. Vous pouvez être sûrs qu'ils ne paieront pas la note. Si je ne touche pas mon salaire, je fiche le camp !

— N'hésitez pas, dit Henderson en se retournant vers la porte. Vous ne sauriez pas, par hasard, comment je peux avoir le numéro de chambre de ce Mannstein ? Je n'ai pas envie de me ridiculiser en remontant là-haut.

La lingère fit claquer sa langue avec mépris, mais elle montra un téléphone fixé au mur.

— Faites le zéro pour obtenir la réception. Ils vous indiqueront sa chambre.

Pendant qu'Henderson décrochait le téléphone, la femme se dirigea vers un séchoir pour prendre un bleu de travail fraîchement repassé.

— Vous feriez bien d'enfiler ça, dit-elle. Si le directeur vous voit au milieu de la clientèle sans uniforme, il va piquer une crise.

Elle reporta son attention sur Marc.

— Comme je le disais, on n'a jamais eu de cireur de chaussures. La seule tenue qui pourrait t'aller, c'est un uniforme de groom. Mais ne mets pas de cirage sur les poignets blancs, surtout, ça ne partirait pas.

— Merci, dit Marc en prenant le cintre qu'elle lui tendait.

L'uniforme se composait d'une chemise blanche, d'un pantalon noir et d'un gilet en velours avec des boutons dorés.

— Très chic, plaisanta Henderson, alors qu'ils ressortaient dans le couloir.

— La réception vous a donné le numéro de la chambre ? demanda Marc.

— La six cent douze. Maintenant, il nous faut un endroit pour nous changer.

Ils remontèrent au rez-de-chaussée et passèrent devant un cagibi assez grand pour qu'ils puissent y entrer. Henderson referma la porte derrière eux, alluma la lumière et ouvrit le sac en toile pour sortir la mitraillette compacte. Il montra à Marc comment ôter le cran de sûreté, tirer et recharger. Avant de ressortir du réduit, il s'empara d'une serpillière, d'une ventouse et d'un seau.

— Il ne reste plus qu'à dénicher l'ascenseur.

La zone réservée au personnel, au rez-de-chaussée, était un véritable labyrinthe et ils durent errer pendant de longues minutes angoissantes dans des couloirs mal éclairés, jusqu'à ce qu'ils se retrouvent à proximité du bureau de la réception, face aux ascenseurs.

Plusieurs officiers de la Gestapo regagnaient leurs chambres. L'ascenseur s'arrêta au deuxième et au cinquième étage, et à chaque fois, les officiers qui descendirent furent salués par deux soldats allemands qui montaient la garde.

— Apparemment, l'hôtel est bien surveillé, commenta Henderson.

Ils se retrouvèrent seuls dans l'ascenseur pour monter jusqu'au dernier étage et Henderson en profita pour vérifier que son pistolet muni d'un silencieux était prêt à tirer.

— Tu es sûr que tu sauras te servir de la mitraillette ? demanda-t-il à Marc. N'oublie pas de la tenir comme je te l'ai montré, sinon, tu te déboîteras l'épaule.

Quand les portes de l'ascenseur s'ouvrirent, les deux gardes présents sur le palier s'avancèrent.

— C'est pour quoi ? demanda l'un des deux, dans un français exécrable.

Henderson se lança dans une explication alambiquée où il était question de tuyaux bouchés dans la chambre 612 et de la nécessité d'avoir recours aux petits bras du groom pour défaire une valve derrière un lavabo. Évidemment, le soldat allemand ne comprit pas un mot.

— Toilettes bouchées, grogna celui-ci. Pas la peine d'en dire plus.

Henderson hocha la tête d'un air contrit et commença à s'éloigner, suivi de Marc. Mais après quelques pas, il s'aperçut qu'il était parti dans la mauvaise direction et rebroussa chemin. Alors qu'ils repassaient devant les gardes, l'un des deux glissa à l'autre, en allemand :

— Sales bons à rien de Français. Trop de vin. Pas étonnant qu'ils aient perdu cette foutue guerre.

Henderson et Marc jugèrent préférable de faire comme s'ils n'avaient pas compris et ils continuèrent à se diriger vers la chambre de Mannstein. Heureusement, il y avait plusieurs coudes dans le couloir et deux issues de secours.

— Dès que Mannstein ouvre la porte, je lui tire une balle en plein visage, dit Henderson. Reste bien en retrait si tu ne veux pas être éclaboussé.

— Entendu.

Marc hocha la tête et inspira à fond en approchant son poing de la porte. Henderson posa son seau et sa serpillière et dégaina son arme.

Marc frappa et attendit.

— Qui est là ? demanda un Allemand.

— Le groom !

Henderson paniqua.

— Ce n'est pas Mannstein !

Marc n'eut pas le temps de demander ce qu'il devait faire : un officier de la Gestapo venait d'ouvrir la porte.

— Euh... J'ai un message de l'Oberst Hinze...

Avant qu'il comprenne ce qui se passait, Henderson ouvrit le feu et le sang de l'officier éclaboussa le visage du garçon. Il demeura hébété, pendant qu'Henderson s'engouffrait dans la chambre, juste à temps pour entendre Mannstein pousser un cri et se précipiter dans la salle de bains. Le verrou se referma une seconde avant qu'Henderson puisse se ruer à l'intérieur.

— Je veux juste vous parler, monsieur Mannstein. Il n'est pas trop tard. Je peux encore vous faire quitter la France.

Dans la salle de bains, Mannstein paniquait. Il se cognait contre les murs, trépignait et criait à l'aide. Il n'était pas idiot, il savait qu'Henderson n'était pas venu pour discuter.

— La mitraillette ! s'écria l'Anglais en montrant le sac.

Marc lui tendit l'arme. Henderson recula et arrosa la porte. Elle fut déchiquetée. D'un coup de poing, il creusa un gros trou, à travers lequel il visa Mannstein qui s'était réfugié au fond de la baignoire.

Une deuxième rafale de mitraillette le transforma en bouillie sanglante, mais ses hurlements et les coups de feu avaient été entendus par les deux gardes postés devant l'ascenseur ainsi que plusieurs officiers de la Gestapo logeant à l'étage.

Le premier uniforme noir jaillit de la chambre située juste en face. Marc se jeta au sol au moment où l'officier visait avec son arme, mais Henderson pivota et le pulvérisa d'une rafale de mitraillette.

— Merde ! pesta-t-il. Merde, merde, merde !

Marc arracha le pistolet de la main de l'Allemand mort.

— Qu'est-ce qu'on fait maintenant ?

— À ton avis ? répondit Henderson en s'élançant vers la porte. On détale !

CHAPITRE VINGT-CINQ

Charles Henderson et Marc Kilgour s'élancèrent dans le couloir. Ils entendirent les gardes allemands ouvrir avec fracas les portes coupe-feu derrière eux.

La plus grande crainte de Marc était de tomber sur un cul-de-sac, mais fort heureusement, le couloir recouvert d'un tapis menait à une porte qui s'ouvrait sur un escalier de secours. Alors qu'ils la franchissaient, Henderson remarqua une poignée qui servait à déclencher l'alarme. Il tira dessus.

— Voilà qui devrait semer une belle panique, dit-il, tandis qu'ils dévalaient l'escalier, accompagnés par les hurlements de la sirène.

Il y avait deux volées de marches entre chaque étage et lorsqu'ils atteignirent le cinquième, ils tombèrent sur un homme en peignoir qui scrutait le couloir en se demandant s'il s'agissait d'une véritable alerte. Henderson le visa avec la mitraillette légère, mais le chargeur s'enraya. Au même moment, un des gardes qui se trouvaient encore à l'étage supérieur se pencha par-dessus la balustrade et tira plusieurs rafales d'arme automatique, arrachant des morceaux de plâtre sur le mur et pulvérisant une grande fenêtre.

Henderson se débarrassa de la mitraillette et se servit de son pistolet pour tuer l'Allemand en peignoir qui se tenait dans l'encadrement de la porte. D'autres coups de feu retentirent au-dessus de leurs têtes lorsqu'ils atteignirent le quatrième étage où un petit groupe d'officiers allemands s'était rassemblé sur le palier.

— Des soldats français! cria Henderson en allemand en cachant son arme pour pointer le doigt vers le haut, tout en essayant de jouer l'agent d'entretien paniqué. Ils ont abattu deux officiers et mis le feu!

Marc, quant à lui, se fraya un chemin au milieu du groupe avec son pistolet glissé dans son pantalon. Les Allemands se jetèrent à couvert lorsqu'une nouvelle pluie de balles descendit de l'étage supérieur. L'un d'eux, plus téméraire, décida de monter pour voir ce qui se passait. Il eut le temps de faire trois pas avant d'être abattu par un garde en uniforme vert qui venait en sens inverse.

En atteignant le troisième étage, la seule chose que Marc entendit, ce furent les jurons et les cris en allemand. Des hommes dévalaient l'escalier en file indienne, tandis que d'autres montaient pour découvrir la cause des vociférations et des coups de feu. Certains avaient décidé d'évacuer les lieux à cause de l'alarme et les autres couraient dans tous les sens comme s'ils attendaient de recevoir des ordres.

Henderson comprit que l'escalier de secours devenait dangereux quand les Allemands cessèrent de brailler pour prendre le temps de réfléchir. Alors, il entraîna Marc vers la porte à double battant qui s'ouvrait sur un couloir identique à celui qu'ils avaient quitté précipitamment trois étages plus haut.

— Ne cours pas, lui dit-il en ralentissant le pas.

Grâce à leurs uniformes d'employés de l'hôtel, les Allemands qu'ils croisèrent ne s'étonnèrent pas de les voir là et quelques-uns allèrent jusqu'à les questionner.

— C'est certainement une fausse alerte, monsieur, expliqua Henderson en français car il risquait d'éveiller les soupçons s'il utilisait son allemand quasiment parfait. Descendez dans le hall, les sapeurs-pompiers vous aideront à évacuer les lieux.

Quand ils eurent laissé derrière eux une dizaine de chambres et franchi deux portes battantes, Marc se dit qu'ils étaient relativement en sécurité désormais.

— Le chaos est la meilleure des diversions, commenta Henderson.

Mais soudain, juste devant eux, une porte s'ouvrit et un jeune officier de la Gestapo sortit de sa chambre en boutonnant sa tunique. À en juger par ses gestes calmes, il croyait à une fausse alerte.

— Que se passe-t-il, messieurs ? s'enquit-il.

Marc pensait qu'Henderson allait lui répondre poliment qu'il l'ignorait et le diriger vers l'escalier de secours, mais avant de comprendre ce qui se passait, le jeune garçon vit l'officier reculer à l'intérieur de sa chambre... le pistolet d'Henderson pointé sur sa tête.

— Entre et ferme la porte ! ordonna l'Anglais.

Marc se précipita dans la chambre luxueuse et referma la porte, alors qu'Henderson obligeait l'officier allemand à s'asseoir sur le lit.

— Déshabillez-vous ! lui ordonna-t-il, avant de se tourner vers le garçon. Où est ton pistolet ?

— Je l'ai caché là, répondit celui-ci en sortant l'arme de son pantalon.

— Je vais enfiler son uniforme, expliqua Henderson. Garde ton arme pointée sur le Boche pendant que je me change. S'il fait le moindre geste, tire-lui une balle dans la tête.

Henderson posa son arme sur un coffre en bois pour pouvoir ôter son bleu de travail. Marc pointa la sienne sur l'Allemand, qui ne semblait pas pressé de se déshabiller.

— Vous finirez devant un peloton d'exécution tous les deux ! lança le jeune officier en déboutonnant sa chemise.

— Possible, répondit Henderson. Mais vous serez mort bien avant, si vous ne vous dépêchez pas !

Le pistolet pesait des tonnes dans la main de Marc et il tressaillit lorsque l'officier, en abaissant son pantalon, dévoila un suspensoir et un étui en cuir contenant un poignard au manche en ivoire incrusté d'une croix gammée en or. Voyant la tension sur le visage du garçon, Henderson s'efforça de le rassurer.

— Ne t'inquiète pas, dit-il. S'il fait partie de la Gestapo, il est assez intelligent pour savoir qu'une balle est plus rapide qu'un couteau.

Quand les deux hommes se retrouvèrent en sous-vêtements, Henderson reprit son pistolet muni d'un silencieux et abattit froidement l'Allemand d'une balle en pleine tête. Une large tache rouge éclaboussa le mur derrière le lit et un morceau de crâne hérissé de cheveux glissa sur le papier peint. Abasourdi, Marc recula vers la porte et faillit lâcher son arme.

— Nom de Dieu, hoqueta-t-il. Vous pouviez pas le ligoter ou l'assommer ?

Henderson secoua la tête, pendant qu'il enfilait le pantalon du mort.

— Ligoter quelqu'un, ça prend des heures et l'assommer, c'est trop aléatoire. En revanche, si tu lui colles une balle dans la tête, tu es sûr qu'il ne reviendra pas t'embêter.

Marc comprenait la logique de ce raisonnement, mais ce geste brutal avait entamé sa confiance. Henderson lui était apparu sous un autre jour quand il lui avait donné de l'eau et lui avait nettoyé le visage. En réalité, valait-il vraiment mieux que l'Oberst Hinze ?

— Ne reste pas planté là ! lui cria Henderson.

Il montra une valise cabossée par terre.

— Regarde ce que tu peux trouver là-dedans. Il a peut-être des munitions pour ton pistolet allemand.

Outre deux chargeurs et une boîte de balles, Marc dénicha trois grenades fixées à une ceinture, enveloppée dans des treillis qui empestaient l'urine et la sueur.

— Ça peut servir, ça ? demanda-t-il.

Un large sourire fendit le visage d'Henderson.

— Tout ce qui peut faire sauter quelque chose est toujours utile. Alors, que penses-tu de cet uniforme ? Il n'est pas parfait, mais je pense que ça pourra faire illusion.

Marc hocha la tête.

— Ce type était un peu plus grand que vous, mais ça va.

— À ta place, j'enlèverais le gilet en velours. Il risque de nous faire repérer.

— Alors, c'est quoi le plan maintenant ? demanda Marc en ôtant son gilet de groom. À moins que vous n'ayez pas encore fini de réfléchir.

Henderson examina les insignes qui ornaient son uniforme noir, puis posa une casquette grise sur sa tête.

— Apparemment, dit-il, notre ami le cadavre était un haut gradé. Personne ne s'attend à ce qu'on sorte par la grande porte et qu'on monte dans une voiture allemande… c'est donc exactement ce qu'on va faire.

Marc prit un air horrifié.

— Vous êtes fou ?

— On a déclenché la panique, expliqua Henderson, mais une fois qu'elle retombera, ils vont boucler tout l'hôtel.

Sur ce, il glissa son pistolet dans un holster en cuir et tendit une des grenades à Marc.

— À partir de l'instant où tu enlèves la goupille, tu as environ quinze secondes avant qu'elle n'explose.

— OK, répondit Marc d'une toute petite voix, en regardant à peine la grenade avant de la fourrer dans sa poche de pantalon.

Avec le pistolet coincé dans sa ceinture et cette grenade qui gonflait sa poche, Marc craignait de perdre son pantalon, alors qu'il ressortait de la chambre et suivait Henderson dans le couloir.

À cause de l'alarme d'incendie, les ascenseurs étaient hors-service ; ils durent donc emprunter l'escalier. La sonnerie stridente s'était tue, mais le hall luxueux de l'hôtel était envahi d'officiers de la Gestapo désorientés. Nul ne prêta la moindre attention à Marc et à Henderson qui se faufilaient au milieu de la foule.

Marc capta des bribes de conversations au passage. Les versions de l'incident variaient d'un groupe à l'autre : un commando de résistants français détenait des otages au dernier étage, il y avait le feu dans l'hôtel, il s'agissait d'une farce de mauvais goût de la part d'un officier ivre…

— Laissez passer, dit Henderson en prenant son accent allemand le plus pompeux et en tenant Marc fermement par l'épaule. Un message urgent de l'Oberst.

Alors qu'ils approchaient de la sortie, il dégoupilla une grenade et la déposa discrètement dans la terre d'une plante verte en pot. Marc n'avait jamais emprunté de porte à tambour et il semblait perplexe, mais ce n'était pas le moment de lambiner. Henderson le poussa brutalement et s'engouffra à son tour dans le tourniquet.

Ils débouchèrent à l'air libre. Plusieurs officiers fumaient, alignés en rang d'oignons, un verre de vin à la main. Il était presque neuf heures et le ciel avait pris une teinte violacée.

— Pardonnez-moi, messieurs, dit Henderson en poussant Marc à travers la rangée d'officiers. Je dois escorter ce messager.

Alors qu'ils descendaient les marches du perron, un jeune soldat, qui ne devait pas avoir plus de dix-huit ans, vint se planter devant Henderson, claqua des talons et fit le salut nazi.

— Heil, Hitler! Avez-vous besoin d'un moyen de locomotion, Herr Major?

Henderson comptait mentalement; il savait que la grenade allait exploser dans environ quatre secondes.

— Il me faut un engin rapide.

Il montra un side-car.

— Les clés sont dessus?

— Oui, Herr Major, répondit le soldat. Le plein a été fait et...

Un éclair blanc jaillit de la façade de l'hôtel, suivi d'une pluie de verre et d'un épais nuage de fumée. Une dizaine d'officiers de la Gestapo dégringolèrent les marches du perron. Des cris retentirent à l'intérieur, tandis qu'Henderson entraînait Marc vers la moto.

Henderson ressentait une vive douleur à l'oreille, entaillée par un éclat de verre, mais cela ne l'empêcha pas d'enfourcher la selle, pendant que Marc sautait dans le side-car. Il actionna le kick d'un coup de pied rageur et sentit l'engin vibrer entre ses cuisses, mais il entendit à peine le bruit du moteur car ses oreilles résonnaient encore du vacarme de l'explosion.

— Dès que je m'arrête, tu cours à la voiture et tu récupères le sac dans le coffre ! cria-t-il.

Marc n'était pas sûr d'avoir bien entendu, mais il comprit quand Henderson sortit de l'allée de l'hôtel en tournant à gauche sur les chapeaux de roues, puis de nouveau à gauche dans la petite rue où il avait garé sa vieille Fiat. Le garçon avait déjà une jambe dehors avant même qu'ils ne s'arrêtent le long du trottoir.

Henderson laissa tourner le moteur pendant que Marc se débattait avec la serrure du coffre.

— Appuie sur le bouton et tourne la poignée ! lui cria l'Anglais, au moment où des phares surgissaient dans l'allée derrière eux.

Il ne fallut que cinq secondes à Marc pour ouvrir le coffre, mais elles lui semblèrent durer cinq minutes. Il prit la valise qui contenait l'or et les billets, son propre sac en peau de porc, et balança le tout dans le side-car, avant de sauter à l'intérieur.

Henderson comprit que la berline Mercedes et les deux motos qui se trouvaient derrière eux roulaient trop vite pour ne pas être à leur poursuite.

— Sers-toi de ton pistolet ! ordonna-t-il. Essaye de les repousser.

Sur ce, il redémarra brutalement, alors que Marc était encore perché en équilibre précaire sur la valise.

CHAPITRE VINGT-SIX

La vieillesse avait ratatiné Yvette Doran, mais des années de travail à la ferme l'avaient maintenue en forme et ses gestes étaient restés vifs et précis. Chaque soir, elle obligeait Hugo et Paul à prendre un bain dans une grande bassine en fer, après quoi elle vérifiait qu'ils étaient bien propres.

— Montrez-moi vos ongles, dit-elle aux deux garçons qui se tenaient devant elle, vêtus de leurs pyjamas donnés par un voisin.

Hugo tendit les mains et Yvette promena son pouce calleux sur la peau douce du garçonnet. Cela faisait bien longtemps que la vieille femme ne s'était pas occupée d'enfants et les mains potelées de ce garçon de six ans la firent sourire.

— Ça peut aller, dit-elle en embrassant Hugo sur le front. Tu t'es brossé les cheveux, c'est bien. Montre-moi tes dents maintenant.

Hugo ouvrit fièrement la bouche.

— Je ferai de toi un vrai gentleman. Mais n'oublie pas l'arrière des dents, ne lave pas uniquement le devant.

Hugo se pencha pour déposer un baiser mentholé sur la joue d'Yvette.

— Bonne nuit, dit-il d'un ton affectueux, avant de gravir l'escalier en sautillant sur ses pieds nus.

Paul avait cinq ans de plus et la vieille femme se contenta de jeter un coup d'œil à ses ongles et derrière ses oreilles.

— Pourquoi vous ne faites pas pareil avec Rosie ? demanda-t-il.

Yvette rit.

— C'est presque une femme. Les garçons, je m'en méfie.

Au début, Paul avait trouvé cet examen un peu gênant, mais il savait que la vieille femme avait un bon fond et une semaine lui avait suffi pour s'habituer à ses petites manies.

— Vous allez me manquer, ta sœur et toi.

— On vous écrira d'Angleterre, dit Paul, mais la perspective de partir l'attristait lui aussi.

La ferme des Doran était un refuge confortable et si grande soit son envie d'exaucer les dernières volontés de son père en retournant en Grande-Bretagne avec les documents de Mannstein, il n'était guère enthousiaste à l'idée de retrouver les routes encombrées de réfugiés et d'entreprendre une traversée qui pouvait se révéler dangereuse.

— Si tu veux, tu peux rester en bas pour dessiner pendant une heure, avant de monter te coucher, proposa Yvette.

Paul secoua la tête.

— Je vais aller souhaiter bonne nuit au père Doran, et après, j'aiderai Rosie à faire nos valises.

Il quitta la cuisine pour se rendre dans le salon, où il trouva l'ancien curé endormi dans son fauteuil, un journal ouvert sur les genoux et ses lunettes perchées au bout du nez. Ne voulant pas le déranger, Paul monta dans leur chambre à pas feutrés. Rosie était en train de plier des affaires propres dans une valise. Ses cheveux humides pendaient sur sa chemise de nuit. Hugo, lui, s'amusait à sauter sur le lit ; il avait toujours un regain d'énergie au moment du coucher.

— Tu t'en sors, sœurette ? demanda Paul en bâillant.

— Pas trop mal, répondit Rosie. Henderson va venir nous chercher en voiture ; ça veut dire qu'on pourra emporter tout ce qu'on veut.

— Tant mieux.

En voulant exécuter une acrobatie, Hugo manqua le lit et tomba sur le plancher avec un bruit sourd.

Rosie se précipita pour le relever.

— Je t'avais dit que ça arriverait si tu continuais à faire le fou.

Le garçonnet s'était cogné le genou, mais il lutta contre l'envie de sangloter pour ne pas montrer à Rosie qu'elle avait raison.

— Arrête, espèce de rabat-joie, grogna-t-il en plongeant la tête la première sur les coussins qui lui servaient de lit. T'es pas marrante !

— On dirait une balle en caoutchouc, commenta Paul. Si on te lançait du haut de l'escalier, je parie que tu rebondirais jusqu'en bas.

— Pourquoi vous êtes obligés de partir tous les deux ? demanda Hugo en redevenant sérieux.

Il roula sur le dos et ramena sa jambe sur sa poitrine pour examiner son genou égratigné.

Rosie le lui avait déjà expliqué et, même si elle aimait beaucoup Hugo, il finissait par lui taper sur les nerfs à la fin de la journée.

— *Parce que !* répondit-elle sèchement. Allez, couche-toi maintenant.

— Mais pourquoi vous partez ? gémit le garçonnet. J'aurai plus personne pour jouer.

— Écoute, Hugo, dit Paul. Chacun a sa place quelque part. La nôtre est en Angleterre. Quand ton papa reviendra de la guerre, tu iras avec lui.

— Je veux pas qu'il revienne ! Je peux prendre le bateau avec vous.

— Et Yvette ? Et le père Doran ? demanda Rosie en fermant sa valise. Tu les aimes bien et tu adores courir dans les champs. Il y a d'autres garçons au village avec lesquels tu pourras jouer.

— Je les déteste !

Paul éclata de rire.

— Comment tu le sais ? Tu ne les connais même pas.

— Ils sentent mauvais. J'aime mieux rester avec vous.

Voyant que Hugo était au bord des larmes, elle décida de changer de sujet.

— Tu sais quoi ? dit-elle. C'est probablement la dernière nuit qu'on passe ensemble. Si tu venais te blottir entre nous ?

L'enfant ne se fit pas prier. Il plongea sous les couvertures au pied du lit et remonta en se trémoussant, jusqu'à ce que sa tête émerge entre les oreillers. Paul et Rosie échangèrent un sourire ; ils auraient aimé être encore en âge de se réjouir pour un rien.

Un peu gênée, Rosie dit à son frère :

— Je suis navrée pour tout à l'heure. J'ai eu tort de déchirer ton dessin. Tu avais dû y passer des heures.

— C'était trop malsain, tu avais raison, répondit Paul. Et moi, je suis désolé de t'avoir traitée de grosse vache. C'est faux... visiblement.

Rosie rit.

— Tu te souviens quand papa me taquinait en disant que j'avais des hanches faites pour avoir des enfants ?

— Ça te rendait folle de rage, dit Paul et il imita la voix de sa sœur : « *Je me marierai jamais, d'abord ! Et j'aurai jamais d'horribles bébés !* »

Quand ils eurent fini de rire, Rosie demanda :

— Toujours d'accord pour partir avec Henderson demain ? Ou quand il arrivera.

— Oui, je crois. Papa lui faisait confiance, alors je me dis que tout ira bien.

— Je m'interroge pour la suite, avoua Rosie. Maman n'avait pas de famille ici et papa n'avait plus que ces lointains cousins bizarres, dans le Yorkshire.

— Des phénomènes de foire, dit Paul. Leurs gosses avaient quasiment la bave aux lèvres. Mais papa avait de l'argent et la vieille maison de grand-père à Londres. Ils nous enverront sûrement en pension et on ira là-bas seulement pendant les vacances.

— Maman n'a jamais voulu qu'on aille en pension. Elle disait qu'ils sont très sévères. Ils donnent des coups de bâton aux enfants et tout ça.

— Toi, tu n'as rien à craindre, dit Paul. Personne ne t'embêtera. Mais moi, je suis tout freluquet et je parie qu'ils m'obligeront à jouer au rugby…

— Tu as trop d'imagination, dit Rosie en essayant de ne pas sourire à la pensée du pauvre Paul se faisant piétiner dans une mêlée. On n'a pas encore quitté la France. D'ailleurs, peut-être qu'à cause de la guerre, on ne sera même pas obligés d'aller à l'école.

— Alors, vous venez vous coucher ou pas ? leur cria Hugo.

— On arrive, répondit Rosie.

Il était encore tôt et, à cause de l'angoisse du départ, elle ne pourrait sans doute pas trouver le sommeil avant plusieurs heures. Mais Hugo allait lui manquer et elle avait envie de le câliner en le regardant s'endormir.

Paul éteignit la lumière, puis le frère et la sœur se dirigèrent chacun vers un côté du lit dans le noir. Ils encadrèrent le petit Hugo, qui enfouit son visage dans le cou de Rosie et l'enlaça.

— Bonne nuit, dit-elle.

Mais en fermant les yeux et en inspirant, elle sentit une drôle d'odeur.

— Ah, la vache ! s'exclama Paul. Qui a pété ?

Hugo s'esclaffa, pendant que Rosie repoussait le drap et les couvertures avec ses pieds.

— C'est intenable ! s'étrangla-t-elle. Comment quelqu'un d'aussi petit peut sentir aussi mauvais ?

Paul prit son oreiller et en assena un coup sur la tête de Hugo.

— Prout qui pue ! Prout qui pue ! scanda le garçonnet en s'emparant de l'oreiller de Rosie pour riposter. Prout qui pue !

Rosie se leva d'un bond. Elle ne put s'empêcher de sourire en regardant les deux silhouettes qui chahutaient dans le noir. Elle songea à allumer la lumière et à les séparer, mais ce soir, elle n'avait pas envie d'être raisonnable. Alors, elle prit un des coussins du lit de Hugo et se jeta dans la bataille.

CHAPITRE VINGT-SEPT

La majeure partie des forces allemandes qui avaient fait leur entrée dans Paris, un peu plus tôt dans la journée, était ressortie par le sud afin de tirer profit de leur avantage sur les troupes françaises en déroute. De ce fait, Paris ressemblait à une ville fantôme. Tous les magasins étaient fermés, les rues désertes. Il n'y avait pas de postes de contrôle et les patrouilles étaient rares, mais la réputation terrifiante des Allemands suffisait à maintenir les gens chez eux. Résultat, Marc, Henderson et les soldats lancés à leur poursuite semblaient avoir les rues pour eux seuls.

Henderson heurta un trottoir en négociant un virage serré. Marc se retrouva à cinquante centimètres au-dessus du sol dans le side-car, tandis qu'Henderson balançait le poids de son corps de l'autre côté pour rétablir l'équilibre, tout en tirant sur le guidon pour éviter une rangée de poubelles.

La Mercedes était plus rapide que le side-car, mais c'était un critère négligeable dans les rues étroites de la capitale. Le chauffeur ne parvenait pas à s'approcher suffisamment pour que le passager puisse ouvrir le feu et, après trois virages, la berline se retrouva distancée. Les deux motos étaient plus agiles en revanche et, n'étant pas encombrées d'un side-car, elles étaient également plus véloces que leur proie.

Mais les Allemands ne pouvaient pas tirer parti de cet avantage à cause de Marc qui, couché à plat ventre dans le side-car, leur tirait dessus dès qu'ils approchaient un peu trop. Et si les motos gagnaient du terrain dans les lignes droites, Henderson reprenait le large dans les endroits sinueux. En outre, il avait vécu à Paris pendant plusieurs années et connaissait bien les rues, alors que les Allemands devaient souvent ralentir car ils ignoraient ce qui se trouvait devant eux.

Néanmoins, quand Henderson parvint à reposer les trois roues du side-car sur la chaussée, leurs poursuivants étaient plus près qu'ils ne l'avaient jamais été. Les premiers tirs de Marc s'étaient perdus dans la nature, mais il commençait à prendre en main le pistolet et il avait déjà atteint une des deux motos, même si la balle avait ricoché contre le garde-boue avant.

Quand Henderson ralentit pour tourner à droite, le phare de la moto de tête se retrouva braqué sur le visage de Marc, à moins de quatre mètres de là. Instinctivement, le garçon appuya sur la détente et atteignit le motard en pleine poitrine. Sous la violence de l'impact, l'homme fut projeté en arrière. Marc vit alors, avec étonnement, la moto poursuivre sa route en ligne droite, tandis que son pilote semblait s'immobiliser dans le vide, les jambes écartées et les bras tendus comme s'il chevauchait encore son engin.

— J'en ai eu un !

Henderson n'eut pas le temps de le féliciter car ils avaient bifurqué dans une rue pavée qui descendait en pente raide. Les maisons construites près du trottoir, de chaque côté, défilaient comme des taches floues. Ils gagnaient de la vitesse, mais Henderson savait que l'habitacle du passager n'avait pas de freins et s'il tentait de ralentir, ils allaient tournoyer comme une toupie.

L'épaule de Marc cogna contre la paroi du side-car et il vit le phare de la deuxième moto arrêté en haut de la pente.

— Je crois qu'il se dégonfle ! jubila-t-il.

Ils atteignaient à toute allure le bas de la rue, qui s'achevait par un virage presque à angle droit. Si Henderson le manquait, ils allaient percuter de plein fouet une clôture métallique avant d'être projetés la tête la première dans un mur. Sans casques.

Il attendit d'être arrivé à l'endroit où le terrain redevenait plat avant de freiner par à-coups, mais leur élan était tel que Marc glissa au fond de l'habitacle. Chaque fois qu'Henderson donnait un coup de guidon ou de frein trop brutal, Marc heurtait la coque en métal. Cette fois, par-dessus le marché, il réussit à se cogner le visage contre la valise, ce qui eut pour effet d'arracher le caillot de sang qui s'était formé dans le trou de sa dent manquante.

Grâce à la chance plus qu'à ses talents de pilote, Henderson parvint à ralentir suffisamment pour négocier le virage en épingle, sans même frôler le trottoir. Marc appuya ses pieds contre le fond de l'habitacle et plaqua sa main sur sa bouche ensanglantée, tout en se contorsionnant pour se rasseoir dans le sens de la marche.

— Ils ont disparu ? demanda Henderson, le souffle court, en tournant rapidement à droite dans une rue perpendiculaire, puis aussitôt à gauche.

— J'en ai abattu un, expliqua Marc, dont la langue pataugeait dans le sang qui avait envahi sa bouche. On dirait que son collègue n'a pas osé nous suivre.

Il éprouvait un étrange malaise : il venait de tuer un homme !

Henderson, lui, semblait ravi. Il ralentit jusqu'à ce que le side-car retrouve une allure normale. Le moteur était rudement plus silencieux que lorsqu'ils roulaient à tombeau ouvert.

— Tu n'as rien pour t'essuyer la bouche ? demanda Henderson.

— Je cherche.

Le garçon plongea la main dans le sac en peau de porc et trouva le torchon dans lequel il avait enveloppé, au départ, les victuailles de M. Thomas. Il se frotta le visage avant d'entortiller un coin du torchon, qu'il enfonça dans sa gencive, et il serra les dents pour tenter d'arrêter l'hémorragie.

Henderson déboucha sur un large boulevard. En regardant autour de lui, Marc constata qu'ils étaient arrivés dans les quartiers huppés, là où se trouvait le siège du gouvernement. D'un côté de la rue, un grand bâtiment avait été incendié, sans doute au cours d'un raid aérien, et le clair de lune filtrait à travers les fenêtres vides de la façade en pierre de taille.

— Tu nous as bien défendus, dit Henderson. Le soldat sur lequel tu as tiré, tu crois que tu l'as tué ?

— Peut-être, répondit Marc. C'était comme s'il avait cessé de bouger, alors que sa moto continuait toute seule.

— Tu t'en remettras ?

Marc hocha la tête.

— Vous croyez que je me soucie des Allemands, alors que Hinze m'a arraché une dent ? On fait quoi maintenant ?

— Potente a quatre ou cinq heures d'avance sur nous et il aura moins de mal que moi à franchir les lignes allemandes.

— Dans ce cas, pourquoi on ne lui a pas couru après immédiatement ?

Henderson semblait mal à l'aise.

— J'aurais bien aimé, dans l'intérêt des enfants de Digby Clarke. Mais Mannstein était plus important. Il aurait pu redessiner ses plans en quelques semaines et les Allemands l'auraient expédié en Pologne avant que je puisse revenir de Tours.

— Si on n'arrive pas à Tours avant Potente, c'est foutu ?

— Pas nécessairement. Prions pour que certaines lignes de téléphone fonctionnent encore. Dans ce cas, nous pourrons peut-être leur envoyer un message.

Marc fronça les sourcils, perplexe.

— Je ne connais même pas le nom de la personne chez qui ils habitent, et encore moins son numéro de téléphone.

— Je sais, dit Henderson. Mais tu m'as expliqué qu'ils logeaient chez un curé à la retraite, dans une ferme au sud de Tours. Ce sera peut-être suffisant. Espérons-le… pour Paul et Rosie Clarke.

— Alors, si on ne va pas à Tours, où on va ?

— Il y a un central téléphonique à quelques centaines de mètres d'ici. Ils auront des téléphones et des annuaires de toute la France. Hélas, cet endroit est certainement surveillé, pour empêcher les sabotages.

— Formidable, grogna Marc, alors qu'une goutte de sang coulait sur son menton et tombait sur sa chemise blanche.

CHAPITRE VINGT-HUIT

Marc se blottit au fond du side-car lorsque Henderson s'arrêta devant un bâtiment qui semblait abriter des bureaux. Sur la grande porte en bois sculpté, une plaque en cuivre portait le logo des Postes et Télécommunications. Un unique soldat allemand montait la garde, mais il semblait surtout s'intéresser au doigt fourré dans sa narine et il sursauta en découvrant Henderson, vêtu d'un uniforme de la Gestapo. Il se mit aussitôt au garde-à-vous et salua d'un air inquiet.

— Heil Hitler, dit Henderson en répondant par un petit geste du poignet. L'Oberst Hinze m'a donné ordre de me rendre dans ce central téléphonique.

Le soldat d'infanterie hocha la tête.

— Très bien, Herr Major. Un de nos ingénieurs travaille justement à l'intérieur, il devrait pouvoir vous aider.

— Sors de là, toi ! cria Henderson en se retournant vers le side-car.

Marc se redressa.

— Je vous en supplie, ne me frappez plus, monsieur, dit-il d'une toute petite voix.

Le soldat fut stupéfait par l'apparition de ce jeune garçon qui pleurnichait, avec du sang qui coulait sur le menton, mais cela ne fit que renforcer son opinion sur la Gestapo. En vérité, les simples appelés craignaient les uniformes noirs presque autant que les populations civiles des pays qu'ils envahissaient. De ce fait, même si ce soldat au visage poupon trouvait la situation étrange, il se garda bien d'interroger un officier de la Gestapo.

Le central téléphonique sentait le renfermé et il flottait dans l'air une odeur d'électricité et d'huile. Henderson entraîna Marc dans le hall, puis sous une voûte, jusqu'à un espace sombre où s'alignaient des tableaux contenant des milliers de commutateurs mécaniques. Plus d'un tiers des communications téléphoniques de Paris transitaient par ce central.

— Heil Hitler ! s'exclama un Allemand à lunettes en apercevant Henderson. Que puis-je faire pour vous, Herr Major ?

— Les lignes fonctionnent-elles ? demanda Henderson d'un ton sec.

— Nous avons quelques problèmes. La majeure partie du personnel n'est pas venue travailler, à cause du couvre-feu. Nous n'avons que quatre opératrices françaises sur plus de soixante habituellement. Les appels intra-muros sont pris en charge par le central automatisé, mais les appels longue distance nécessitent une connexion manuelle. Voilà pourquoi je les ai limités aux communications d'ordre militaire.

— J'ai besoin d'appeler un numéro à Tours, dit Henderson. Est-ce possible ?

— Je vais interroger une des opératrices. Nous avons réussi à établir plusieurs communications avec le sud de la France, mais le réseau est saturé. Ça peut prendre du temps et certaines opératrices locales coupent la communication dès qu'elles entendent parler allemand.

— Mon français est excellent, dit Henderson. Demandez à votre opératrice d'essayer d'établir une liaison avec Tours immédiatement.

— Bien, Herr Major.

L'ingénieur se dirigea à grands pas vers une femme assise devant un standard manuel.

Henderson s'approcha d'une étagère métallique et prit les deux énormes annuaires qui recensaient tous les numéros de téléphone de France. Il les feuilleta rapidement jusqu'à ce qu'il tombe sur la ville de Tours. Celle-ci comptait plus de cent mille habitants, mais moins de deux mille possédaient le téléphone.

L'Anglais se tourna vers Marc, tout en sortant de sa poche un stylo à plume dont il dévissa le capuchon. Il regarda autour de lui pour s'assurer que l'ingénieur ne l'entendait pas, et il demanda, en chuchotant :

— Tu sais lire et écrire ?

— Évidemment ! répondit Marc, vexé.

— Épluche la page de droite, je prends celle de gauche. Je veux que tu notes tous les numéros qui correspondent à une église ou à un organisme religieux. Et ceux de toutes les personnes inscrites en tant que prêtre ou pasteur.

— Comment on saura lequel est le bon ?

— On ne peut pas le savoir. Mais, au sein d'une même communauté, les prêtres, les rabbins et les autres ministres du culte se connaissent généralement tous. Si on arrive à passer deux ou trois coups de fil, il est probable que quelqu'un aura entendu parler du prêtre qui a recueilli deux enfants et il pourra lui transmettre un message. Même si cette personne ne le connaît pas directement, elle connaîtra quelqu'un qui le connaît.

— Oui, c'est logique, dit Marc. Mais les prêtres ont-ils les moyens d'avoir le téléphone ?

— Ça pourrait poser un problème, en effet, reconnut Henderson. Mais il nous suffit de trouver une seule personne, quitte à contacter l'évêque de Tours lui-même.

L'un et l'autre firent glisser leur index sur la liste des numéros de téléphone. Il leur fallait environ une minute pour passer en revue chaque page et, quand ils avaient terminé tous les deux, Henderson passait à la suivante.

Alors qu'ils épluchaient la quatrième page, l'ingénieur allemand s'approcha d'eux. Il désigna la jolie opératrice assise devant son standard à une vingtaine de mètres de là.

— Marthe essaye d'établir la liaison. D'après elle, nous avons une chance sur deux que ça marche.

— Merci, répondit Henderson, sèchement. Si j'ai encore besoin de vous, je vous appellerai.

Ils avaient mal aux yeux quand ils arrivèrent enfin en bas de la dernière page, mais ils avaient relevé trois numéros de téléphone qui semblaient prometteurs. Après avoir rangé l'annuaire sur l'étagère, ils se dirigèrent vers l'opératrice. Celle-ci semblait mal à l'aise face à l'uniforme noir d'Henderson et au visage ensanglanté de Marc.

— Alors, ça donne quoi ? demanda Henderson en français.

— C'est compliqué, répondit la prénommée Marthe en montrant son immense tableau couvert de prises dans lesquelles étaient plantées des fiches d'où pendaient des fils.

— En temps normal, expliqua-t-elle, pour appeler Tours, il suffit de deux relais, via le central du Mans. Mais cette ville a été endommagée la nuit dernière par un raid des Boches et...

Le mot « Boche » était une insulte pour les Allemands. Comprenant sa gaffe, Marthe blêmit et se tourna vers Henderson.

— Euh... je voulais dire un raid *allemand*. Maintenant, tous les appels pour Tours doivent transiter par Dijon, Lyon et Bourges. Comme le réseau est

254

saturé et qu'un grand nombre de lignes sont hors-service à cause des bombardements, ça peut être très long pour contacter les différentes opératrices et établir une liaison longue distance.

— Je vois, dit Henderson. Où en sommes-nous ?

— J'attends la réponse de l'opératrice de Dijon. Elle me contactera dès qu'elle aura une ligne disponible.

— Vous ne pouvez pas expliquer à vos collègues que c'est important ?

Marthe secoua la tête.

— Elles savent que Paris est occupé et il se peut qu'elles nous coupent exprès.

Marc et Henderson patientèrent pendant que l'opératrice poursuivait sa tâche, répondant aux appels et transférant ses fiches d'une prise à une autre.

L'Anglais était nerveux. Il ignorait si le système de radiocommunication des Allemands était efficace, mais ce n'était sans doute qu'une question de temps avant que tous les soldats de Paris se lancent à la recherche d'un homme et d'un garçon qui avaient volé un uniforme de la Gestapo et un side-car.

Enfin, après un quart d'heure d'attente et d'angoisse, une ampoule blanche clignota au-dessus du mot « Dijon » sur la console. L'opératrice enfonça une fiche dans la prise correspondante et prit son combiné.

— Je comprends, dit-elle tristement. Merci d'avoir essayé, Hélène.

Elle se tourna ensuite vers Henderson.

— Désolée, Herr Major. Ma collègue de Dijon me dit qu'il n'y a aucune ligne disponible.

Une fois de plus, Henderson s'assura que l'ingénieur allemand n'était pas dans les parages.

— Je ne suis pas vraiment de la Gestapo, confia-t-il à voix basse. Je suis un agent britannique et nous devons filer d'ici avant de nous faire prendre. Si je vous laisse un message, croyez-vous que vous pourrez réessayer un peu plus tard et le transmettre à un de ces numéros à Tours ? Les vies de deux enfants sont en jeu.

L'opératrice semblait sceptique ; sans doute pensait-elle qu'il s'agissait d'une ruse de la Gestapo pour tester sa loyauté. Alors, elle se mit à parler dans un anglais approximatif :

— Si vous êtes britannique, vous comprenez ce que je dis, je suppose ?

Henderson sourit, avant de répondre dans un murmure, en anglais également :

— L'anglais est ma langue maternelle. Et si vous examinez l'ourlet de mon pantalon, vous constaterez que cet uniforme a été coupé pour quelqu'un de plus grand que moi.

L'opératrice ne maîtrisait pas suffisamment bien la langue de Shakespeare pour tout saisir, mais elle comprenait le langage du corps et elle baissa les yeux vers l'ourlet. Henderson ouvrit alors sa tunique pour montrer que la ceinture était trop large.

Marthe esquissa un sourire nerveux.

— Vous ne manquez pas de culot, vous, dit-elle. Je peux prendre votre message et le transmettre à ces numéros. Ou alors, si vous attendez deux ou trois minutes, je peux vous mettre en relation avec Tours.

Henderson demeura bouche bée.

— Trois minutes, c'est tout ?

— Je travaille pour les Boches, dit Marthe d'un air malicieux, ça ne veut pas dire que je leur facilite la tâche.

Sur ce, elle enfonça une fiche dans la prise marquée « Dijon » et reprit son combiné.

— Hélène, dit-elle d'un ton enjoué. J'ai un appel pour la France. Je dois joindre le central de Tours au plus vite.

Apparemment, quand un appel concernait la France, les lignes téléphoniques se débloquaient à une vitesse miraculeuse. Hormis les trente secondes d'attente pour obtenir une opératrice à Bourges, la liaison avec Tours fut rapidement établie et un téléphone sonna quelque part à trois cents kilomètres de là. Hélas, personne ne décrocha.

— Essayez un autre numéro, demanda Henderson, nerveux.

Une fois que la ligne était obtenue, c'était un jeu d'enfant pour l'opératrice de Tours de composer un nouveau numéro. Cette fois, il s'agissait de celui d'un presbytère et ce fut un jeune prêtre, le père Fry, qui répondit.

Il ne connaissait pas le curé à la retraite, mais un de ses paroissiens, un homme âgé, le connaîtrait certainement. Il promit de transmettre le message à cet ancien prêtre où qu'il se trouve, même si pour cela il devait s'y rendre à pied.

— Que Dieu vous bénisse, mon père ! s'exclama gaiement Henderson. Dites-lui aussi que je me rends dans le sud immédiatement, mais cela peut me prendre un ou deux jours.

Une fois la communication terminée, il rendit le combiné à l'opératrice.

— Essayez le troisième numéro, dit-il. Le père Fry semblait digne de confiance, mais deux précautions valent mieux qu'une.

Après quelques minutes d'attente, Marthe secoua la tête et reposa son combiné.

— Ça n'aboutit pas, expliqua-t-elle. Ma collègue de Tours me dit que le numéro correspond à un collège catholique situé dans le centre-ville et que celui-ci a été fortement endommagé par les bombes.

Henderson haussa les épaules avec fatalisme.

— Dommage. J'espère que l'on peut compter sur le père Fry.

— Et maintenant ? demanda Marc.

— Je tombe de fatigue. J'ai besoin d'une bonne nuit de sommeil. Après quoi, je partirai pour Tours dès demain matin.

Marc semblait inquiet.

— Vous n'allez quand même pas m'abandonner, hein ?

— Non, je ne pense pas, répondit Henderson.

— Vous n'avez pas un endroit où on peut loger ?

— Pas par ici. Par contre, j'ai les clés de l'appartement où vivait ma secrétaire. C'est à vingt minutes en voiture.

Henderson se retourna vers l'opératrice.

— Merci beaucoup pour votre aide.

Marthe sourit.

— Vive l'Angleterre, murmura-t-elle.

— Vive la France ! répondit Henderson.

Après avoir vérifié encore une fois que l'ingénieur n'était pas dans les parages, il embrassa la jeune femme sur les deux joues.

CHAPITRE VINGT-NEUF

Le gouvernement n'avait pas abdiqué, mais le fait de quitter Paris sans détruire tout ou partie des ponts stratégiques qui enjambaient la Seine montrait qu'il avait abandonné tout espoir de défendre le reste de la France. Les troupes se rendaient ou désertaient en masse et les routes qui menaient vers le sud étaient envahies de soldats en déroute. Épuisés et affamés, ils devaient parcourir des centaines de kilomètres à pied pour rentrer chez eux.

Herr Potente dépassa des milliers de ces Français désarmés en roulant vers Tours au volant d'une Austin réquisitionnée par la Gestapo. Contrairement à tous les civils que la famille Clarke avait rencontrés en chemin, les soldats n'encombraient pas les routes avec des landaus ou des charrettes, et, à l'exception de quelques ivrognes qui titubaient, ils marchaient sur le bas-côté.

De fait, ce qui inquiétait surtout Potente, c'étaient les trous d'obus sur la chaussée, les tas de gravats et les ponts démolis. La plupart de ces obstacles n'imposaient qu'un simple détour par des chemins de ferme, mais parfois, pour traverser une rivière, il fallait parcourir trente kilomètres supplémentaires et franchir en serrant les dents des ponts consolidés à la hâte avec des empilements de pierre et des traverses de chemin de fer.

Potente était profondément mécontent du tour qu'avaient pris les événements. Il travaillait pour l'*Abwher*, une section des services de renseignement de l'armée allemande engagée dans une lutte d'influence avec la Gestapo. Potente se considérait comme un espion professionnel; alors que les officiers de la Gestapo n'étaient que des représentants du parti nazi, et à ses yeux, ils ne valaient pas mieux qu'une bande de voyous.

Les critiques directes de l'Oberst Hinze à son égard l'agaçaient. Avec son équipe de six agents, il opérait déjà à Paris avant l'invasion et il avait réussi à débusquer trente agents britanniques, tuant huit d'entre eux et obligeant les autres à fuir.

Potente espérait quitter la France prochainement. Maintenant que les Russes étaient les alliés des Allemands, la France ne tarderait pas à capituler et la Grande-Bretagne n'aurait d'autre choix que de signer un traité de paix avec Hitler. Avec un peu de chance, la guerre serait bientôt terminée et il projetait de retrouver sa maison familiale près de Hambourg, où il vivrait en paix jusqu'à la fin de ses jours.

Potente atteignit Tours peu après le lever du soleil et s'arrêta au bord de la route pour manger les croissants qu'il avait achetés à Paris, accompagnés du café tiède contenu dans une bouteille Thermos. Après avoir conduit toute la nuit, il était fatigué et il espérait que le café lui donnerait un coup de fouet pour affronter cette nouvelle journée.

Il ne prévoyait aucune difficulté pour s'emparer des plans et des enfants, mais le coup de téléphone de Rosie Clarke était intervenu au moment idéal, et comme tout bon espion qui se respecte, Potente se méfiait des pièges.

Ayant fini de se restaurer, il vérifia que son revolver était bien chargé. Il fit tourner le barillet et le referma d'un mouvement du poignet. *Clic*. Il adorait ce bruit et ne put résister au plaisir de répéter plusieurs fois l'opération.

En consultant sa carte, il en conclut que la ferme du père Doran n'était qu'à un quart d'heure de route, mais le réservoir d'essence était presque vide, alors il alla chercher un jerrycan et un entonnoir dans le coffre pour refaire le plein avant de repartir.

La ferme des Doran n'était pas sans rappeler celle où Herr Potente avait vécu enfant. Il éprouva d'ailleurs un petit pincement au cœur en tirant sur la corde élimée de la cloche fixée au-dessus de la porte.

Yvette Doran remontait l'allée dans son dos, avec une pelle à la main, les bottes crottées.

— Monsieur Henderson ? demanda-t-elle d'un ton hésitant, avant de lui adresser un grand sourire. Je ne vous attendais pas si tôt.

Potente s'exprimait dans un français impeccable.

— J'ai bien roulé. Les routes sont étonnamment désertes.

La vieille femme hocha la tête.

— Je crois qu'à force de sillonner la France dans tous les sens, les gens ont fini par se résigner à rester chez eux, dit-elle. Entrez donc ! La porte est ouverte. Je pense que mon frère doit s'occuper du petit déjeuner des enfants.

La porte s'ouvrit en grinçant, directement sur le salon. On apercevait la cuisine au fond du couloir et Potente découvrit les trois enfants assis autour de la table. Il supposa, à juste titre, que Paul et Rosie étaient les plus âgés.

— Bienvenue, monsieur Henderson, dit le père Doran en se levant pour se diriger vers la cuisinière. Vous avez fait un long voyage. Voulez-vous un peu de café tout chaud ?

— Avec grand plaisir !

Potente sentait la délicieuse odeur de pain qui s'échappait du four ; il se frotta les mains et reporta son attention sur les enfants.

— Hélas, dit-il, il ne faut pas traîner. J'ai envoyé un message codé à Londres et je nous ai réservé des places à bord d'un bateau au départ de Bordeaux. Mais il lève l'ancre à treize heures pile. Ça risque d'être un peu juste.

— On a beaucoup entendu parler de vous, monsieur Henderson, dit gaiement Rosie. Par notre père.

— Vraiment ? dit Potente, sur ses gardes.

Le père Doran déposa une tasse de café sur la table.

— Asseyez-vous donc, monsieur Henderson

Paul leva les yeux, tandis que Potente prenait une chaise.

— Mon père et vous avez navigué sur le même bateau pendant quelque temps, n'est-ce pas ? demanda-t-il.

— Le *HMS Manchester*, précisa Rosie.

Potente hocha la tête.

— C'était il y a longtemps, dit-il. Je vous raconterai un tas d'histoires en chemin. Votre père était un grand homme.

Hugo choisit cet instant pour repousser sa chaise et quitter la table. Il sursauta en voyant alors Yvette, arrêtée sur le seuil de la pièce, qui pointait le double canon d'un fusil de chasse sur la tête de Potente. En voyant l'air hébété du garçonnet, Potente eut le réflexe de se retourner, juste au moment où Yvette pressait la détente.

Une double décharge de chevrotines pénétra dans le dos et l'épaule de l'Allemand, mais les plombs sont moins mortels qu'une seule balle et Potente put dégainer son revolver pendant que la vieille femme rechargeait.

— Notre père n'a jamais servi à bord du *Manchester*! cria Paul en s'écartant précipitamment de la table. Sale nazi!

Yvette se rapprocha, tout en pressant de nouveau sur la détente. Cette fois, les plombs, moins éparpillés, creusèrent un énorme trou dans le dos de Potente. Alors que sa tête heurtait la table, le père Doran fut le premier à s'apercevoir que deux coups de feu avaient été tirés simultanément.

Hugo fut projeté contre le buffet lorsque la balle l'atteignit sous l'aisselle. Le projectile poursuivit sa course à travers le tissu mou du poumon et ressortit par la poitrine en brisant la cage thoracique.

— Hugo! hurla Rosie en le voyant s'écrouler devant le buffet.

L'enfant tenta de crier, alors qu'Yvette lâchait son fusil pour se précipiter vers lui, mais le sang avait envahi ses poumons et il ne put qu'aspirer le liquide tiède dans sa bouche. Paul était incapable de supporter ce spectacle. Il se jeta sur la porte de derrière et sortit en titubant, sur la terre battue, au milieu des cages à poules.

Potente tomba de sa chaise lorsque Rosie arracha brutalement son revolver à ses doigts morts.

— Oh, Hugo! Je suis désolée, sanglotait Yvette, pendant que son frère marchait dans tous les sens, désemparé. On aurait dû te protéger, mais... Je suis désolée.

Paul risqua un coup d'œil par la porte ouverte. Il vit la vieille dame prendre dans ses bras le corps inerte de l'enfant et le serrer contre elle, sans se soucier du sang. Impossible de croire que le petit garçon qui, deux minutes plus tôt, se bourrait les joues de pain et faisait des grimaces à table était mort.

CHAPITRE TRENTE

Marc eut du mal à fermer l'œil à cause de la douleur dans sa bouche, mais Henderson s'écroula sur le lit de Miss McAfferty et dormit comme une souche. Quand le jour se leva, Marc dénicha dans un placard des fruits au sirop et des haricots à la sauce tomate. Il savait parfaitement manier l'ouvre-boîtes maintenant, et quand les conserves furent ouvertes, il écrasa le contenu avec une fourchette car il avait trop mal à la gencive pour mâcher.

Il s'agissait indéniablement d'un appartement habité par une femme, comme l'indiquaient le papier peint à fleurs et l'odeur, un mélange de talc et de chats.

— Il est presque midi, grogna Henderson lorsqu'il entra dans le salon en se grattant les fesses. Pourquoi tu ne m'as pas réveillé?

Assis dans un fauteuil, Marc feuilletait un ouvrage consacré à l'observation des oiseaux.

— J'y ai pensé, mais je me suis dit que vous alliez m'envoyer sur les roses.

— C'est possible, reconnut Henderson avec un sourire. J'ai avalé une douzaine de cachets de benzédrine pour rester éveillé au cours de ces derniers jours. Résultat, j'ai la tête qui résonne comme un tambour.

— On est deux, répliqua le garçon en retroussant sa lèvre supérieure pour montrer le trou sanglant à l'intérieur de sa bouche.

— Tu as fait des gargarismes avec de l'eau salée comme je te l'ai conseillé hier soir ? Il ne faut pas que ça s'infecte.

— Oui, trois fois, dit Marc. Alors, on a un plan pour aujourd'hui, ou on continue à improviser ?

— Un peu des deux.

Henderson se frotta les yeux avec ses paumes, avant de s'étirer en bâillant. Je sais où je dois aller, mais j'ai encore quelques doutes. Tu as mangé ?

— Des trucs en conserve. Y en a des tonnes dans le placard.

— Je vais me restaurer un peu et ensuite, on lèvera le camp. Tu as réfléchi à ce que tu allais faire ?

Marc ne cacha pas son étonnement.

— Je reste avec vous, non ? Enfin… si vous êtes d'accord.

— Je parlais du long terme. En supposant que notre message parvienne à l'ancien curé avant l'arrivée de Herr Potente, je devrai aller récupérer les enfants de Digby Clarke et prendre un bateau pour l'Angleterre. Tu n'as aucun papier, mais je pourrai sûrement tirer quelques ficelles pour te faire monter à bord.

Marc sourit.

— C'est vrai ?

— Tu m'as soutenu dans un moment délicat à l'hôtel. Je ne sais pas trop ce que diront mes supérieurs quand je leur amènerai un enfant abandonné, mais ils ne m'ont jamais beaucoup apprécié de toute façon. Et une fois que tu seras sur le bateau, ils pourront difficilement te renvoyer.

Marc s'estimait chanceux. Se faire des amis et aller en Angleterre, il n'en espérait pas tant quand il s'était enfui de l'orphelinat.

La veille au soir, ils avaient balancé le side-car dans un canal. Après s'être sustenté, Henderson décida de ne pas remettre l'uniforme de la Gestapo. Certes, il avait réussi à bluffer un jeune soldat pour pénétrer dans le central téléphonique, mais il ne possédait pas les papiers nécessaires pour franchir un poste de contrôle en plein jour.

Il renonça à son élégance habituelle pour s'habiller comme un paysan. À présent, il ressemblait à Marc, avec ses bottes en caoutchouc, son pantalon de velours retenu par des bretelles, une chemise blanche et un chapeau à large bord pour se protéger du soleil.

Au premier coup d'œil, on aurait dit le père et le fils ; des paysans qui partaient chercher refuge chez des parents, dans le sud. Mais, contrairement aux paysans, Henderson se promenait avec un pistolet muni d'un silencieux dans un holster fixé sur sa poitrine et sa valise contenait diverses pilules, des poisons, deux

269

grenades et quinze lingots d'or. Marc avait mis son sac en peau de porc sur son dos et il tenait à la main une valise dans laquelle il avait fourré quelques vêtements et des conserves.

Le duo traversa les quartiers sud de Paris d'un pas énergique. Marcher sous cette chaleur était épuisant, mais Marc s'en fichait, car les protestations de ses muscles lui permettaient d'oublier un peu la douleur sourde dans sa bouche. Parfois, des Allemands en *Kübelwagen* ou à cheval les dépassaient, mais le choc de la veille s'était atténué et Paris replongeait déjà dans une sorte de routine inquiète. C'était samedi, des enfants couraient dans les rues ou attendaient devant les cinémas, pendant que leurs mères rejoignaient des queues plus sinistres pour se procurer des œufs, du lait et du pain.

Il leur fallut une heure pour atteindre la périphérie de la capitale, mais la principale route qui menait vers le sud était bloquée par un barrage allemand. Une voiture avait été placée en travers de la chaussée et ses pneus crevés afin qu'elle soit plus difficile à déplacer. La seule voie libre était surveillée par six soldats qui laissaient passer les convois militaires et refoulaient tous les civils, qu'ils soient en voiture ou à pied.

— Ne les regarde pas, glissa Henderson d'un ton sec en prenant Marc par le bras pour l'entraîner vers un petit café, au coin d'une rue. Ça va sembler louche.

Marc jeta des coups d'œil inquiets autour de lui pour s'assurer que personne ne les écoutait.

— Y a pas mal de champs par ici, murmura-t-il, et ils ne peuvent pas surveiller toute la campagne.

— Exact, dit Henderson. Mais je veux arriver à Tours dans un ou deux jours au maximum. Si on est obligés de faire tout le trajet à pied, ce sera beaucoup plus long.

— Alors, qu'est-ce qu'on fait ?

— On observe et on se renseigne.

Ils se faufilèrent entre les rangées de tables vides à la terrasse du café.

— J'ai pas de pain, s'excusa le patron de l'établissement dès qu'il les vit entrer. Juste du café et quelques restes avec lesquels j'ai fait une soupe.

Henderson se contenta d'un café noir, alors que Marc commanda une soupe. Il le regretta car elle était faite essentiellement avec des pommes de terre et une sorte de saucisse amère qui laissait une pellicule de gras à la surface. Ils restèrent là pendant une heure, en parlant à peine, sans cesser d'observer les véhicules qui franchissaient le barrage.

Le patron sortait fréquemment sur le trottoir pour guetter d'un air anxieux l'arrivée de son pain. Finalement, il téléphona et Henderson entendit, à l'autre bout du fil, le boulanger lui expliquer que les Allemands avaient réquisitionné la boulangerie et tout le pain était destiné aux troupes.

Peu de temps après, un des Allemands qui surveillaient le barrage entra pour chercher une demi-douzaine de cafés qu'il apporta à ses camarades sur un plateau. Il revint un quart d'heure plus tard avec les tasses vides.

— Comment ça va, grenadier ? lui demanda Henderson. Redoutable, ce soleil, pas vrai ?

Le soldat, qui ressemblait encore à un enfant comme la plupart des membres de l'infanterie allemande, sourit.

— Vous parlez bien allemand, dit-il.

— Je suis alsacien, mentit Henderson. J'ai grandi en parlant cette langue, même si j'ai quitté cette région il y a plusieurs années.

— Ah, fit le soldat, indifférent.

— On n'a aucune nouvelle, reprit Henderson. Vous savez ce qui se passe dans ce coin ?

Cette fois, le jeune soldat éclata de rire.

— Vous croyez que j'ai plus de nouvelles, en restant planté là dehors, que vous qui êtes assis ici ? Tout ce que je sais, c'est que nos chars avancent et que c'est la bagarre habituelle pour se procurer du carburant et des vivres.

Henderson sourit.

— Je parie que vous êtes plus heureux ici qu'au front.

— Vous pouvez le dire ! J'ai été un des premiers à franchir la frontière à Sedan. Les combats, j'en ai eu ma dose. Avec un peu de chance, ce sera bientôt fini.

— Je l'espère aussi.

Alors que l'Allemand regagnait son poste en flânant, le patron du café vint leur annoncer qu'il fermait.

— Le Boche et vous, vous êtes mes seuls clients depuis deux heures. De toute façon, ça vaut pas la peine de rester ouvert sans pain et sans œufs, avec juste une saucisse indigne de ce nom.

— Je comprends, dit Henderson en prenant son chapeau sur la table et en se levant. Cette boulangerie… vous ne sauriez pas où elle se trouve, par hasard ?

— Si, bien sûr, répondit le patron, qui commençait déjà à renverser les chaises sur les tables. C'est à moins d'un kilomètre d'ici. Vous avez dû passer devant en venant. Mais n'espérez pas avoir du pain. Le boulanger m'a expliqué que les Allemands gardaient tout pour eux et qu'ils l'obligeaient à faire fonctionner les fours à plein régime. Ils menacent d'abattre quiconque s'arrête de travailler ou demande à rentrer chez lui. De toute façon, il sera à court de farine dès demain.

Henderson laissa un pourboire généreux et Marc le suivit à l'extérieur, en plein soleil, au moment où trois camions remplis à ras bord de soldats passaient en grondant sur les pavés. On leur fit signe de franchir le barrage, sans même ralentir.

— Qu'est-ce qu'on peut faire ? se désola Marc, alors qu'ils prenaient la direction de la boulangerie.

Henderson, qui voulait inciter le jeune garçon à réfléchir par lui-même, décida de le tester en chemin.

— Qu'as-tu remarqué en observant ce barrage ?

Marc haussa les épaules.

— Ils n'arrêtent que les Français.

Henderson hocha la tête.

273

— Exact. En revanche, tous les véhicules qui semblent allemands ou qui sont conduits par un Allemand sont autorisés à passer. Par ailleurs, il n'y a généralement qu'un seul homme dans la cabine des camions.

Marc sourit.

— Ça veut dire que c'est plus facile d'en faucher un si le chauffeur descend.

Henderson acquiesça de nouveau.

— Tout à l'heure au café, le soldat a fait allusion à un défaut chronique dans l'organisation allemande. Il leur a déjà causé des problèmes l'an dernier, dans l'Est. Avec un peu de chance, cela nous facilitera la tâche pour traverser la ligne de démarcation.

Marc était perdu.

— Quel défaut ?

— Les Allemands combattent en avançant rapidement avec une armée de blindés : chars, pièces d'artillerie motorisées, etc. Le problème, c'est qu'en avançant trop vite et trop loin, les blindés se coupent de leurs voies de ravitaillement et ils se retrouvent coincés, sans vivres pour nourrir les hommes, sans carburant et sans munitions pour leurs chars.

— C'est pour cette raison que leurs troupes se sont arrêtées pendant trois semaines au nord de Paris ?

— Exactement. Par conséquent, il nous suffit d'intercepter un camion de pain ou un camion-citerne, d'assommer le chauffeur, d'enfiler son uniforme, et ensuite, on devrait pouvoir rouler jusqu'aux lignes

allemandes. De même, ils avancent trop vite pour
bâtir des fortifications, donc, si on trouve un chemin
de campagne, on pourra peut-être continuer jusqu'en
zone libre.

— Mais… les soldats français ne vont pas nous tirer
dessus quand ils nous verront approcher ?

— Très certainement, répondit Henderson avec le
plus grand sérieux.

CHAPITRE TRENTE ET UN

La boulangerie était sans doute l'une des plus grandes et des plus modernes de Paris. La structure en acier du bâtiment se dressait derrière des murs de brique, et trois cheminées en aluminium répandaient une délicieuse odeur de pain chaud dans tout le quartier. Des Allemands gardaient l'entrée, alors qu'un vieil homme tout en blanc était allongé dans la partie ombragée de la cour, victime apparemment d'un coup de chaleur.

À l'arrière, trois camions étaient alignés : un véhicule allemand et deux autres, appartenant à des commerçants du coin, qui avaient été réquisitionnés. Une procession de soldats et de mitrons à l'air épuisé courant entre la porte de derrière et le camion de tête. Chacun portait un panier rempli de miches encore fumantes qu'il jetait négligemment à l'intérieur du véhicule, jusqu'à ce qu'il soit plein. Un officier allemand obèse qui surveillait les opérations leur criait d'aller plus vite.

Quand le camion fut rempli, on referma la bâche pour empêcher les miches de tomber en route. Un soldat d'infanterie, dont la chemise était tachée de transpiration, grimpa dans la cabine puis claqua la portière. Il voulut éponger la sueur qui coulait sur son crâne chauve mais, en récupérant sa veste jetée sur le siège du passager, il découvrit un jeune garçon, dissimulé sous le tableau de bord, qui pointait une arme sur lui.

— Faites comme si de rien n'était, chuchota Marc dans son mauvais allemand. Mettez le contact et démarrez, ou je vous tire une balle dans la tête.

L'Allemand en sueur hocha la tête et se pencha en avant pour mettre le contact.

— C'est bien, dit Marc lorsque le moteur rugit, alors qu'une odeur âcre de transpiration envahissait la cabine.

Nerveux ou incompétent, ou les deux, le chauffeur s'emmêla les pinceaux avec l'embrayage et le camion tressauta. Après quoi, il fit grincer la boîte de vitesses en cherchant la seconde.

— Il faut qu'on passe prendre un ami, dit Marc en sortant de sa cachette exiguë, tandis qu'ils s'éloignaient de la boulangerie et des autres Allemands. Prenez la deuxième à gauche et arrêtez-vous près du pont du chemin de fer.

Marc garda son arme pointée sur l'Allemand pendant qu'il s'installait sur le siège.

— Tournez ici, ordonna-t-il, mais le soldat avait compris et il ralentissait déjà.

Marc scruta les environs, satisfait de ne voir aucun signe de vie. On était samedi et les administrations qui occupaient les deux côtés de la rue étaient fermées. Au moment où le camion s'engageait sur le dos-d'âne du pont, Henderson surgit du talus qui descendait vers les voies ferrées. Il courut derrière le véhicule et, quand celui-ci s'arrêta, il ouvrit aussitôt la portière du conducteur.

— Descendez ! cria Henderson en agitant un pistolet allemand sous le nez du soldat. Pas d'histoires. Tout se passera bien si vous restez calme.

Le chauffeur descendit de la cabine les mains en l'air et Henderson lui ordonna de marcher vers le garde-fou. Dès qu'il eut pris pied sur le trottoir, Henderson appuya le canon de son silencieux dans la nuque de l'Allemand. La violence de l'impact le projeta vers l'avant et il s'écroula à cheval sur le garde-fou.

Après avoir rengainé son arme, Henderson souleva le soldat par les cuisses. Le corps inanimé bascula dans le vide et traversa le feuillage d'un arbre avant d'atterrir sur le quai, près de la voie ferrée.

— Passe-moi sa veste, dit Henderson en courant vers le camion. J'en aurai besoin, ainsi que de son casque, pour franchir le barrage.

La jauge indiquait que le réservoir était plein, et la route qui menait vers les lignes allemandes au sud était déserte. Au-delà du barrage, ils ne rencontrèrent qu'une colonne de chars tout juste sortis de l'usine, qui se dirigeaient vers leur baptême du feu. Les tankistes, torse nu, sortaient la tête par les écoutilles pour échapper à la chaleur étouffante.

À une vingtaine de kilomètres de Paris, leur camion franchit un autre contrôle sans même avoir besoin de s'arrêter – Marc ayant pris soin de retourner se cacher sous le tableau de bord – et ils aperçurent enfin les premiers signes véritables de la présence allemande, sous la forme d'une grande tente abritant un poste de commandement, derrière laquelle on avait installé un hôpital de campagne. Encore deux ou trois kilomètres, et ils découvrirent un alignement de fermes en feu. Les actes de destruction semblaient inutiles, maintenant que tout le monde savait que les Allemands allaient gagner la guerre, et Marc se demanda si ces bâtiments ne s'étaient pas enflammés accidentellement.

L'ambiance devint tout à coup plus électrique quand ils atteignirent la limite du territoire allemand. Une file de blindés d'un kilomètre de long était stationnée sur le bord de la route, attendant de recevoir l'ordre d'avancer. Les chars étaient larges et Henderson devait passer lentement, en empiétant parfois sur l'herbe du bas-côté.

Au-delà de cette haie de chars, les champs étaient parsemés de soldats français épuisés. Les Allemands en avaient capturé plus d'un million au début de l'invasion. Mais pour les surveiller, ils devaient utiliser un grand nombre d'hommes, et les nourrir tous était quasiment impossible. Alors, si, dans le nord, les prisonniers français avaient passé le mois précédent dans des enclos où ils mourraient de maladies et de faim, les soldats que les Allemands capturaient maintenant étaient simplement dépouillés de leurs armes et de leur matériel, et contraints à marcher vers le sud.

Ceux qui restaient étaient blessés ou malades, et ils étaient condamnés à souffrir en plein soleil, sans eau, pendant que leurs ennemis attendaient tranquillement le ravitaillement avant de reprendre leur offensive. Marc avait déjà vu bien des souffrances en allant de Beauvais à Paris, mais le spectacle de ces jeunes soldats qui mouraient de faim et de soif lui brisait le cœur. Dans un autre champ, derrière ce charnier, se dressaient des tas bien ordonnés : des casques, des fusils, des munitions et des grenades.

Henderson esquissa un sourire.

— Quand j'étais enfant, j'avais une collection de soldats de plomb, dit-il. Avant que je me couche, ma mère m'obligeait à les ranger en tas, exactement comme ça, mais en plus petit.

En entendant cette évocation de l'enfance, Marc s'aperçut qu'il ne savait rien de Charles Henderson.

— Vous avez une femme et des enfants ? interrogea-t-il.

— J'avais une fille, mais elle est morte de la tuberculose toute petite. Ma femme a très mal supporté cette disparition.

— Je suis navré, dit Marc en s'agitant nerveusement sur son siège.

Il regrettait d'avoir posé cette question.

— Elle a fait une grave dépression, ajouta l'Anglais. Nous aimerions avoir un autre enfant, mais je passe tellement de temps à l'étranger que ce n'est pas facile.

Après avoir traversé un village rempli de soldats allemands, ils atteignirent un embranchement et Henderson opta pour un chemin de terre qui, de toute évidence, n'était pas la route principale. Il serpentait sous la voûte des arbres qui projetaient des ombres tachetées.

— Je crois que nous avons dépassé l'avant-poste, déclara Henderson en roulant aussi vite que possible.

Soudain, Marc plongea sous le tableau de bord lorsqu'ils débouchèrent dans une clairière où un canon était braqué sur eux. Henderson comprit que c'étaient des Français.

— Marc ! Relève-toi et prends le volant ! cria-t-il, car il venait de se souvenir qu'il portait encore l'uniforme allemand.

Il s'empressa de l'ôter.

Pendant que Marc maniait le volant tant bien que mal, les soldats français se mirent à vociférer et Henderson ralentit. Une chance qu'ils aient subtilisé un des deux camions français, car un véhicule allemand aurait assurément provoqué plus d'hostilité que de méfiance.

— Penche-toi par la vitre pour qu'ils voient que tu es un enfant !

Marc obéit et s'écria :

— On n'est pas des Boches! On n'est pas des Boches!...

Trois hommes jaillirent des fourrés en pointant leurs fusils sur Marc et Henderson. Ce dernier s'arrêta, mais il garda le moteur allumé et le pied sur l'accélérateur au cas où la situation dégénérerait.

— Y a quoi derrière? demanda un sergent barbu en introduisant le canon de son fusil à l'intérieur du camion, tout près de la tête de Marc.

— Du pain frais, monsieur, répondit le garçon.

Simultanément, un autre soldat avait lacéré la bâche avec un couteau et provoqué une avalanche de centaines de miches, qui rebondirent dans la terre, avant de dévaler la pente du talus.

— Il vient d'où, ce pain? demanda le sergent.

— Les Boches ont réquisitionné mon camion et m'ont obligé à rouler vers le sud, depuis Paris, mentit Henderson. On a tué le soldat qui nous escortait et on a décidé d'essayer de franchir les lignes.

Apparemment, il y avait six soldats en tout. Ils s'étaient jetés sur les miches encore fraîches et mordaient dedans à pleines dents. Ce qui semblait agacer leur sergent.

— Un peu de discipline! leur cria-t-il. Retournez vous cacher.

— Il y a plus de cent chars allemands à deux ou trois kilomètres d'ici, dit Henderson. Ils se préparent pour une nouvelle offensive. Si on décharge une partie du pain, vous pourrez voyager avec nous à l'arrière.

— Non merci, répondit le sergent avec mépris. Notre régiment s'est rendu ce matin, mais tous les six, on a décidé de continuer à se battre. En revanche, on veut bien prendre du pain.

Henderson était stupéfait de leur courage.

Le sergent descendit du marchepied et baissa son arme.

— Les Panzer ont une portée presque deux fois supérieure à ce canon, dit Henderson. Ils vont vous repérer avec leurs jumelles et vous faire sauter de la route.

Le sergent regarda ses bottes, comme un enfant qui est dans de sales draps.

— Les Allemands ont bombardé ma maison, expliqua-t-il. Ma femme, ma mère et mes deux filles sont mortes. La plupart d'entre nous ont connu des drames similaires. Alors, je préfère me faire déchiqueter par un obus plutôt que de regarder un Boche en face et lui donner du « monsieur ».

— Êtes-vous sûr que vos hommes partagent ce point de vue ?

Le sergent s'éloigna du camion et cria :

— Ce brave gars affirme qu'il y a plus de cent chars qui viennent par ici et il propose de vous conduire vers le sud. Si l'un de vous veut le suivre, qu'il y aille.

Les soldats affamés avaient la bouche pleine de pain, mais tous secouèrent la tête.

Marc ne savait pas s'il devait être impressionné par leur bravoure ou atterré par leur bêtise.

— Dans ce cas... bonne chance, dit Henderson. Si vous avez pris tout le pain que vous vouliez, je vais repartir. Savez-vous s'il y a d'autres Allemands plus au sud ?

Le sergent fit non de la tête.

— À mon avis, dit-il, vous ne trouverez que des positions françaises abandonnées et des soldats avec la queue entre les jambes.

Alors qu'il redémarrait, Henderson entendit quelqu'un cogner contre la carrosserie ; il s'arrêta. Il pensait qu'un des soldats avait changé d'avis et voulait monter à l'arrière, mais il vit un type maigrelet sauter sur le marchepied du côté de Marc et lui tendre une feuille de papier par la vitre.

— J'ai pas d'enveloppe ni de timbre, mais l'adresse est marquée en haut de la feuille. Je crois que tu as plus de chances que moi de la remettre à ma femme.

Marc était abasourdi. Ce soldat ressemblait plus à un des grands de l'orphelinat qu'à un homme marié.

— Je ferai mon possible, promit-il.

Henderson secoua la tête, tandis qu'ils roulaient de nouveau à l'ombre des arbres.

— La guerre fait faire de drôles de choses aux gens, soupira-t-il. Pauvres fous.

CHAPITRE TRENTE-DEUX

Le camion à moteur diesel avait connu des jours meilleurs et il protestait dès que la vitesse dépassait les cinquante kilomètres-heure. Résigné, Henderson ne se donnait même plus la peine d'accélérer : si Herr Potente était arrivé à Tours avant son message et s'il s'était emparé des enfants, il n'y avait rien à faire.

De temps à autre, Marc se rendait à l'arrière du camion pour distribuer des miches de pain aux soldats affamés qui marchaient au bord de la route, mais Henderson lui intimait l'ordre de refermer la bâche dès qu'ils étaient immobilisés par les embouteillages car il ne voulait pas se faire assaillir par la foule. Ils s'arrêtèrent à Blois, où ils firent un excellent déjeuner dans un restaurant tenu par un Anglais qui était un vieil ami d'Henderson.

Le restaurateur connaissait un fermier qui possédait un stock de gas-oil. Henderson put se procurer un jerrycan de vingt litres en échange de deux lingots d'or. C'était un prix exorbitant, mais le carburant était une denrée rare et il se réjouissait d'en avoir trouvé. Maintenant, il avait de quoi rouler jusqu'à Bordeaux.

Le ciel s'assombrissait quand ils franchirent le pont pour pénétrer dans Tours. Henderson s'arrêta dans la première église qu'il aperçut ; toutefois, ils durent attendre un quart d'heure que la messe s'achève avant de pouvoir demander au curé où vivait son collègue retraité qui avait recueilli deux orphelins.

Le curé leur traça un plan sur un bout de papier et, bien que celui-ci soit légèrement confus, ils atteignirent la petite ferme moins d'une demi-heure plus tard. Henderson passa devant la maison sans s'arrêter, éteignit les phares, coupa le moteur et laissa le camion rouler en roue libre jusqu'à un portail métallique. Il sortit son pistolet muni d'un silencieux et s'adressa à Marc, pendant qu'il remplaçait la balle qu'il avait utilisée un peu plus tôt dans la journée.

— Si les Allemands ont intercepté notre message, il est possible qu'ils m'attendent. Je vais donc passer à travers champs pour atteindre l'arrière de la maison.

— Vous voulez que je vous couvre ? proposa le garçon.

Henderson secoua la tête.

— J'ai appris à me déplacer sans bruit. Reste ici. Si tu entends des coups de feu ou si je ne suis pas revenu dans une heure, je te conseille de décamper.

Marc n'aimait pas ça. Si jamais il arrivait malheur à Henderson, il se retrouverait livré à lui-même au milieu de nulle part. Mais au moins, il aurait encore treize lingots d'or et une arme à feu.

Henderson sauta du camion et enfonça ses mains dans la terre meuble. Il s'en barbouilla le front et les joues avant de disparaître dans un carré de pommes de terre, en position accroupie pour observer la maison. Il n'y avait aucune voiture suspecte en vue et une seule lumière était allumée à l'intérieur, alors il avança jusqu'à la porte de derrière.

Au moment où il émergeait du carré de pommes de terre, il entendit un sanglot. Il tourna la tête et distingua la silhouette d'un garçon frêle. Celui-ci était assis dehors, un carnet à croquis sur les genoux, bien qu'il fasse trop sombre pour dessiner.

— Paul Clarke ? chuchota l'Anglais.

Le garçon se retourna et ses dents blanches captèrent l'éclat de la lune quand il ouvrit la bouche d'un air hébété.

— Henderson ? C'est vous ?

Un nouveau sanglot déclencha un frisson dans le dos de l'Anglais.

— Les Allemands sont là ? demanda-t-il. Qu'est-ce qui se passe ?

∴

Une demi-heure plus tard, Marc et Henderson étaient dans la maison, assis autour de la table de la salle à manger, devant des tasses de lait chaud. Yvette avait nettoyé le sang sur le sol à l'endroit où Hugo était mort, mais Rosie avait cueilli un bouquet de fleurs des champs qu'elle avait déposé contre le buffet.

— On se rend vers le sud, à Bordeaux, dit Henderson. Il paraît qu'il y a encore des liaisons maritimes avec les Cornouailles. Du moins, c'était le cas il y a quelques jours. Nous verrons bien.

Marc l'écoutait d'une oreille distraite ; il observait Rosie. Les filles le fascinaient, mais celle-ci semblait triste, avec ses longs cheveux en bataille et ses semelles crottées, car elle était allée nourrir les poules.

— Qu'avez-vous fait du corps de Herr Potente ? demanda Henderson en s'adressant aux adultes.

— On a prévenu la police. Ils ont rédigé un rapport et ils ont emmené les deux corps, expliqua Yvette.

— Zut ! dit Henderson, puis il sembla changer de sujet : ça fait longtemps que vous vivez dans cette ferme ?

— C'est une maison de famille, dit le père Doran. Elle appartenait à nos parents et à nos grands-parents.

— Vous devez partir avant que les Allemands n'arrivent. La Gestapo connaissait la destination de Herr Potente et ils découvriront très certainement le rapport de police. Ils vous interrogeront pour savoir où sont les plans et où je me trouve.

— On ne sait quasiment rien, et d'ici là, espérons-le, vous serez loin, dit Yvette.

— Certes, répondit Henderson. Mais la Gestapo voudra s'assurer que vous ne mentez pas, et pour cela, ils vous tortureront.

Marc montra sa gencive.

— Regardez ce qu'ils ont fait à ma dent, ces porcs ! J'ai entendu les ordres de l'Oberst : Potente devait interroger Paul et Rosie, et les tuer ensuite.

— Je ne partirai pas de chez moi, déclara le père Doran avec détermination, en reposant bruyamment sa tasse sur la table. J'ai passé l'âge de me cacher sous un escalier. Plus vite je mourrai sur cette terre, plus vite je rejoindrai le Seigneur.

Henderson avait du mal à masquer son agacement.

— Je suis sûr que votre foi est un grand réconfort, mon père. Mais qu'en est-il de votre sœur ?

Yvette secoua la tête.

— Monsieur Henderson, pourquoi ne pas vous occuper des plans et mettre les enfants à l'abri, plutôt ? Mon frère et moi n'avons pas besoin qu'on nous protège.

∴

Cette nuit-là, Henderson partagea le grand lit avec Paul. Marc s'installa tant bien que mal sur les coussins de Hugo et Rosie coucha avec Yvette. Le lendemain matin, Marc descendit de bonne heure, croyait-il. Mais il constata que la vieille femme avait déjà eu le temps de plumer et de faire cuire un poulet pour leur voyage et de préparer un copieux petit déjeuner.

Le père Doran, lui, était parti traire ses deux vaches. Henderson consultait une carte routière, pendant que Paul et Rosie, assis à table avec lui, picoraient d'un air triste.

Rosie lui sourit.

— Bonjour, Marc. Tu as bien dormi ?

— Pas mal. Mais Henderson ronfle comme un sonneur.

— Ne m'en parle pas, soupira Paul. J'ai dormi à côté de lui et je sentais mon oreiller qui vibrait.

Henderson leva les yeux et esquissa un sourire, mais il se replongea aussitôt dans sa carte sans dire un mot.

— Vous avez besoin d'aide, Yvette ? demanda Rosie, alors que la vieille femme déposait des tranches de pain et un pot de confiture maison dans un panier.

— J'ai presque terminé. Vous ne mourrez pas de faim pendant le voyage. Je mets le poulet sur le dessus car il est encore chaud. Dessous, il y a du fromage, des yaourts, un peu de ma terrine et des bouteilles de lait frais.

— De quoi nourrir une armée, commenta Henderson en souriant. Vous êtes vraiment adorable.

— Vu ce que ces deux-là dévorent, ça ne durera pas longtemps. Et je suis sûre que le jeune Marc a bon appétit, lui aussi.

— Il mange comme un ogre, confirma l'Anglais.

Il jeta un coup d'œil à sa montre.

— Nous partons dans quelques minutes. Le moment est venu de faire vos adieux. Allez aux cabinets et vérifiez que vous n'avez rien oublié.

Les Clarke montèrent chercher leurs valises. Rosie alla déposer la sienne immédiatement à l'arrière du camion, alors que Paul s'approchait d'Yvette pour lui tendre un dessin. Il s'était représenté en compagnie de sa sœur et de Hugo devant la ferme. On y voyait Yvette à sa fenêtre, pendant que le père Doran courait après une poule qui s'était échappée.

— C'est magnifique ! dit Yvette, la gorge serrée.

Marc jeta un rapide coup d'œil au dessin, avant de se lever d'un bond pour le voir de plus près.

— Génial ! s'exclama-t-il. Tu es un vrai artiste, ma parole !

Modeste, Paul essaya de réprimer son sourire.

— Je l'ai fait hier, après que Hugo...

Yvette glissa sa main sur sa nuque et lui embrassa le front.

— Je suis sûre que tu deviendras un grand artiste, un jour, déclara-t-elle fièrement. Vous allez me manquer, ta sœur et toi.

La vieille femme se mit à sangloter au moment où Rosie revenait, et quelques minutes plus tard, tout le monde était en larmes. Le père Doran lui-même posa son journal pour étreindre Paul et Rosie en pleurant. Puis il souhaita bonne chance à Henderson.

— Mon père, pensez à ce que je vous ai dit hier, insista Henderson, sur le seuil de la ferme, en tenant la valise qui contenait les documents de Mannstein. Vous êtes très respecté par ici, je suis sûr que beaucoup de gens vous aideraient à vous cacher.

— Peut-être, répondit le père Doran calmement. Qui sait où cette guerre conduira chacun de nous ?

CHAPITRE TRENTE-TROIS

Henderson conduisait et les trois enfants étaient installés à l'arrière du camion, assis sur les bagages, avec de vieilles couvertures et des coussins donnés par Yvette pour améliorer un peu le confort. L'Anglais avait fini par se prendre d'affection pour Marc, et la présence du jeune garçon à côté de lui, à l'avant, lui manquait. Mais il captait des bribes de la conversation entre les trois orphelins et se réjouissait d'entendre Marc se comporter comme un enfant ordinaire face à Paul qui essayait de lui apprendre à dessiner un char.

Il y avait trois cent trente kilomètres jusqu'à Bordeaux. Avec une automobile digne de ce nom, ils auraient fait le trajet en six heures et demie, mais avec ce vieux camion, il leur fallut dix heures. Ils avaient relevé la bâche pour voir le paysage, puis avaient fini par se lasser. Tous trois avaient passé plusieurs jours sur les routes et, au bout d'un moment, le spectacle d'un soldat marchant avec des béquilles ou d'une grand-mère gisant dans un fossé ne les choquait plus. Pour Marc, qui s'était aventuré au-delà des murs de l'orphelinat et des fermes environnantes pour la première fois de sa vie, la présence de la mort était presque une chose naturelle.

∴

Ils atteignirent Bordeaux alors que la nuit commençait à tomber. Henderson avait les doigts engourdis à force de serrer le large volant et les mollets en feu à cause des pédales, mais il reprit courage en apercevant dans le port un petit navire battant pavillon britannique.

Marc, quant à lui, fut un peu désorienté lorsque, en descendant du camion, il découvrit des palmiers devant un hôtel. Assurément, le climat était plus doux par ici que dans le nord de la France et les maisons basses ornées de balcons étaient bien différentes des immeubles d'habitation ou des bureaux parisiens.

— Prenez toutes vos affaires ! ordonna Henderson d'un ton pressant en montrant le petit monticule de sacs et de valises à l'arrière du camion. De la fumée s'échappe des cheminées du bateau, ça veut dire qu'il se prépare à lever l'ancre.

— Dans combien de temps ? demanda Marc en passant les bagages à Rosie postée au pied du camion.

— Peut-être une heure, si on a de la chance. Mais on doit encore franchir la douane et acheter des billets. En outre, le bateau risque d'être plein et Marc n'a pas de passeport.

Chargés de deux bagages chacun, les trois enfants et Henderson traversèrent une route très fréquentée en respirant les effluves de la mer et se dirigèrent vers le terminal des passagers. Il s'agissait d'un bâtiment de plain-pied, en verre, avec des comptoirs pour acheter les billets et une zone délimitée par des cordes qui conduisait à un poste de douanes où des fonctionnaires français contrôlaient et tamponnaient les passeports. Ensuite, les passagers accédaient au quai et gravissaient les passerelles pour embarquer sur le navire.

Alors qu'il précédait les trois enfants à l'intérieur, Henderson jeta un coup d'œil à travers les grandes baies vitrées et vit une grue, fixée sur le pont, hisser à bord un énorme filet rempli de bagages, pendant qu'on relevait une des deux passerelles.

— Préparez les billets et les passeports, monsieur, lui dit un steward en anglais.

Son képi portait le nom du bateau — *SS Cardiff Bay* — et son accent de Manchester donna à Henderson l'impression d'être déjà chez lui. Mais son estomac se serra car le navire allait bientôt partir.

— On vient juste d'arriver, expliqua-t-il, le souffle coupé, en prenant son passeport et son portefeuille dans une des valises. Il me faut quatre billets.

Pendant ce temps, Rosie avait sorti le passeport de Paul et le sien.

— John ! cria le steward à un collègue. Il reste de la place ?

— Quelques cabines et plein de sièges.

Henderson sourit.

— Je craignais que le bateau soit complet.

— Si vous étiez arrivés la semaine dernière, vous auriez assisté à une sacrée bousculade. Mais le gouvernement a affrété quelques bateaux supplémentaires, et on n'embarque plus que les retardataires maintenant. Vous savez quoi ? Puisque nous sommes sur le point de lever l'ancre, je vais vous laisser payer à mon collègue à bord. N'oubliez pas, hein ?

Henderson hocha la tête.

— Comptez sur moi. Merci, monsieur.

L'homme leur indiqua le comptoir voisin derrière lequel un membre d'équipage d'un grade supérieur attendait pour examiner les passeports.

— Je n'en vois que trois, dit-il en regardant Marc, sourcil dressé.

— Son père a été tué lors d'un raid aérien, expliqua Henderson. Tous les papiers ont été détruits.

— Je suis navré, monsieur, mais nous appliquons un règlement très strict, afin d'empêcher des agents allemands de pénétrer en Grande-Bretagne. Chaque passager doit posséder des papiers.

— Mais... ce n'est qu'un enfant, bafouilla Henderson.

— Je comprends bien, monsieur. Mais le règlement, c'est le règlement. Surtout en temps de guerre. Vous devez faire une demande de passeport auprès du consulat. Il ouvre à neuf heures le matin.

Marc, qui ne comprenait pas l'anglais, dut demander à Rosie de lui expliquer ce qui se passait.

— Quand part le prochain bateau ? interrogea Henderson.

— Nous sommes les seuls à assurer cette liaison désormais, dit l'officier. Sauf contretemps, nous serons de retour mardi matin et nous repartirons dans l'après-midi.

Henderson réfléchit rapidement. Il savait qu'il était vain d'essayer d'user de son influence car, en tant qu'espion, il ne possédait aucun document qui prouvait son grade. Il sentit qu'on le tirait par la manche. Tournant la tête, il vit que Marc le regardait.

— Ne vous en faites pas pour moi, dit le garçon. Je peux me débrouiller tout seul.

Henderson secoua la tête avec fermeté.

— Ne sois pas idiot. Pas question de t'abandonner.

Une sirène mugit sur le quai et un cri retentit : « Tout le monde à bord ! » La panique s'empara d'Henderson.

— Paul, Rosie, dit-il, saisissez votre chance. Prenez vos affaires, vos papiers et montez à bord. Quand vous arriverez en Angleterre, demandez à parler à Miss Eileen McAfferty au ministère des Affaires étrangères, 64 Kensington High Street. Racontez-lui ce qui s'est passé ; je vous promets qu'elle s'occupera de vous.

Il s'ensuivit un moment de confusion pour savoir dans quels bagages se trouvaient leurs affaires, pendant qu'Henderson s'assurait que Rosie avait de quoi acheter leurs billets et quelques livres sterling supplémentaires pour subvenir à leurs besoins en arrivant. La fillette embrassa l'Anglais et se précipita vers le bateau.

— Vite ! Vite ! crièrent les hommes en uniforme.

L'équipage était déjà en train de larguer les amarres, alors que Rosie et Paul couraient sur le quai avec leurs bagages. Enfin ils atteignirent la passerelle, en même temps que les derniers marins.

À l'intérieur du terminal, Henderson se tourna vers Marc et lui sourit.

— Avec un peu de chance, on trouvera une chambre pour la nuit. Et demain matin, on ira voir le consul.

— OK, dit Marc. Je vous revaudrai ça.

Henderson remarqua que son jeune compagnon avait les larmes aux yeux. Il passa son bras autour de ses épaules.

— Tu croyais vraiment que j'allais te laisser là, après tout ce qu'on a vécu ensemble ?

Paul détestait la mer. Il avait traversé la Manche plusieurs fois, et toujours penché au-dessus d'un sac à vomi, le teint verdâtre, tandis que son père lui conseillait de sortir prendre l'air. La perspective d'entreprendre un plus long voyage encore, de Bordeaux à Plymouth, le remplissait d'effroi.

Le navire était délabré et ses coursives plongées dans l'obscurité pour éviter qu'il soit repéré par les avions allemands la nuit. Par conséquent, le personnel de bord devait escorter les passagers jusqu'à leurs cabines avec des lampes électriques. L'arbre de transmission qui tournait à plein régime faisait un vacarme épouvantable et provoquait des vibrations presque insupportables.

— Vous avez un rideau occultant devant votre hublot, expliqua le steward. Dès qu'il fera nuit, ne l'ouvrez pas surtout. N'y touchez même pas. Un simple rayon de lumière suffit aux Boches pour nous repérer dans le noir. De plus, des *U-boats*[3] rôdent dans les parages, ça veut dire qu'on réduira notre vitesse au maximum dès que la mer le permettra. Mais évidemment, ça remuera davantage. Je vous conseille de rester dans votre cabine le plus possible. Il y a une cantine au pont supérieur, mais aucun repas ne sera servi avant demain matin. Je viendrai vous apporter du thé et de l'eau chaude dans une heure environ.

La porte métallique de la minuscule cabine s'ouvrit en grinçant et Paul fut assailli par l'odeur de tabac froid. Les couchettes étaient sales, la poubelle débordait et la porte coulissante qui s'ouvrait sur des toilettes et un lavabo était sortie de son rail.

— Désolé pour l'état de la cabine, mais on fait l'aller et retour depuis quinze jours et les équipes de nettoyage n'ont pas eu le temps de monter à bord.

— C'est pas grave, répondit Rosie avec un sourire courageux, alors que le steward actionnait l'interrupteur pour allumer une ampoule minuscule. On rentre à la maison, c'est tout ce qui compte.

Paul s'assit sur la couchette du bas, tandis que la porte de la cabine se refermait brutalement. Si, pour Rosie, l'Angleterre était « la maison », lui ne se souvenait pas d'avoir vécu ailleurs qu'à Paris. Déjà, le roulis lui donnait mal au cœur et il savait que cela empirerait dès qu'ils arriveraient en haute mer.

___

3. Nom donné aux sous-marins allemands.

— Je crois que je vais monter sur le pont pour prendre l'air, dit-il.

Rosie secoua la tête.

— Tu as entendu le steward. Tu ne peux pas te promener sur le pont quand tout est éteint.

— Vingt-trois heures à avoir les tripes qui se soulèvent, gémit le garçon.

Il prit un air songeur et ajouta :

— Ce gamin, Marc, il avait l'air chouette. J'espère qu'Henderson pourra lui procurer un passeport.

— J'en suis sûre, dit Rosie. Il a des relations.

— Je vous ai écoutés bavarder tous les deux à l'arrière du camion, dit Paul pour taquiner sa sœur. Tu lui faisais du charme !

— Arrête un peu ! Je voulais être gentille avec lui, c'est tout.

— Si je n'avais pas été là, je parie que tu l'aurais embrassé, ou un truc comme ça.

Rosie agita son doigt sous le nez de son frère.

— Ne crois pas que tu peux me mettre en boîte parce que tu as le mal de mer, dit-elle. Ça ne m'empêchera pas de t'en coller une.

Soudain, il se produisit une énorme détonation et le bateau se souleva comme si on l'avait sorti de l'eau. Et puis, tout aussi brusquement, la main invisible qui l'avait saisi le relâcha.

— C'était quoi, ça ? hoqueta Paul, alors que la lumière de l'ampoule tremblotait.

Une deuxième détonation projeta le navire vers l'avant, et cette fois, elle s'accompagna d'une explosion assourdissante, amplifiée par les parois métalliques qui les entouraient. La lumière s'éteignit pour de bon et une sirène retentit dans la coursive, tandis qu'une voix grésillait dans les haut-parleurs :

« Appel à tous les passagers ! Prenez vos gilets de sauvetage et rassemblez-vous sur le pont supérieur. Je répète : prenez vos gilets de sauvetage et rassemblez-vous sur le pont supérieur !… »

— Où sont les gilets ? s'écria Rosie, affolée.

Paul se souvint que sur le *Titanic*, il n'y en avait pas assez pour tout le monde. Mais Rosie les dénicha sous la couchette du bas et s'empressa d'enfiler cette sorte de bavoir jaune autour de son cou. Le steward frappait aux portes des cabines en criant :

— Sortez tous ! Sortez tous ! Tout le monde sur le pont !

Rosie s'empara de la valise contenant les documents et se précipita dans la coursive, envahie de passagers qui faisaient la queue pour gravir l'escalier étroit menant au pont supérieur.

— Qu'est-ce qui se passe ? demanda Rosie.

— C'est une attaque aérienne ! cria quelqu'un. Vous n'avez pas entendu les avions ?

Non, ils n'avaient rien entendu à cause du vacarme de l'arbre de transmission.

— Laisse tes affaires ici ! lui ordonna le steward.

Il lui arracha des mains la valise et la lança à l'intérieur de la cabine.

— Ce sont des documents importants ! protesta Rosie, alors que la queue avançait vers l'escalier.

— Ne sois donc pas idiote ! rétorqua le steward d'un ton cassant en se frayant un passage au milieu des passagers. La seule chose importante, ce sont les gens !

Même si la vie humaine semblait avoir de moins en moins de valeur, Rosie savait que le steward avait raison. Elle se retourna pour s'assurer que Paul était toujours derrière elle.

Le bombardier avait frappé le *Cardiff Bay* à moins de cinq kilomètres de Bordeaux, à l'intérieur du large chenal qui reliait le port à l'océan Atlantique. L'antique navire piquait peu à peu du nez, à mesure que l'eau s'engouffrait par un trou dans la coque.

Rosie arriva au sommet de l'escalier presque vertical. En débouchant dans la pénombre du crépuscule, elle constata que l'avant du bateau touchait déjà la surface, alors que la poupe se dressait en l'air. Les passagers, parés de leurs gilets de sauvetage, attendaient sur le pont pendant que les membres d'équipage ôtaient les bâches qui recouvraient les canots de sauvetage pour les mettre à l'eau ; une tâche particulièrement difficile mais, heureusement, la mer était calme.

Entre-temps, l'eau avait atteint la salle des machines dans les entrailles du navire. Lorsqu'elle s'engouffra dans les chaudières et se déversa sur les charbons ardents, cela provoqua un bouillonnement de vapeur brûlante. Les cris épouvantables des hommes brûlés vifs montèrent d'en bas. La pression extraordinaire fit éclater une des cheminées et projeta plusieurs écoutilles dans les airs.

Rosie serra Paul contre elle, alors que l'atmosphère était envahie par des odeurs âcres de peinture calcinée et de métal brûlant. Dans le ciel, un Stuka allemand attaquait en piqué. Ses bombes manquèrent la cible de plus de vingt mètres, mais une succession d'explosions souterraines fit basculer le bateau sur le flanc. La coque parvint à se stabiliser ; hélas, l'espoir fut de courte durée : une vague colossale rebondit vers la proue du navire et l'entraîna sous la surface.

Il se produisit un grincement macabre lorsque l'avant s'enfonça. Des cris jaillirent de toutes parts. Les gens étaient précipités vers la poupe et s'accrochaient à tout ce qu'ils trouvaient, alors que l'inclinaison du pont continuait à s'accentuer.

Beaucoup de passagers semblaient attendre un miracle, mais Rosie était réaliste ; elle savait qu'ils étaient en train de sombrer.

— Si on ne saute pas maintenant, on va couler avec le bateau ! cria-t-elle en saisissant son frère par son gilet de sauvetage et en chevauchant le garde-fou, tandis que des adultes les dépassaient en courant et qu'une quantité de débris de plus en plus importante dévalait le pont dans leur direction.

Le pont se trouvait à plus de quinze mètres de la surface quand Paul et Rosie avaient embarqué, mais le vieux *Cardiff Bay* sombrait à la vitesse d'une torpille et à peine eurent-ils enjambé le garde-fou qu'ils se retrouvèrent en contact avec l'eau.

Rosie était une excellente nageuse, mais les mouvements de Paul étaient désordonnés. Elle le tint par son gilet et le supplia de battre des pieds. Leurs gilets leur permettaient de flotter, mais en coulant comme une pierre, le navire créa un tourbillon qui les attirait vers le fond.

Après avoir tenté de résister pendant trente secondes, alors que d'autres passagers désespérés se jetaient à l'eau, la poupe du *Cardiff Bay* sombra, laissant dans son sillage un gigantesque vortex dans lequel tout et tout le monde fut aspiré. L'épicentre se trouvait à moins de dix mètres des Clarke et le tourbillon renversa un des rares canots qui avaient été mis à l'eau avec succès. Une dizaine de naufragés se retrouvèrent alors prisonniers sous l'embarcation retournée qui s'enfonçait.

Soudain, une énorme bulle d'air s'échappa de la dépression ; un courant puissant s'empara des jambes de Rosie et l'entraîna vers les profondeurs. Elle essayait de retenir Paul, cependant elle fut contrainte de lâcher prise quand une rame brisée la frappa dans le dos. Elle agita les bras dans tous les sens, mais son frère avait disparu.

Privée d'air, Rosie comprit qu'elle allait se noyer. L'eau glacée lui faisait l'effet de milliers d'aiguilles plantées dans sa peau. Si elle ne refaisait pas surface rapidement, une mort certaine l'attendait.

Tout à coup, aussi soudainement que le courant l'avait entraînée vers le fond, l'eau sembla se figer autour d'elle. Plus de bulles, plus de débris, elle sentit que le gilet commençait à la tirer sous les aisselles. Réalisant qu'elle remontait vers la surface, elle joignit les chevilles et colla ses bras le long du corps pour profiter du courant ascendant.

Ses oreilles se débouchèrent d'un seul coup lorsqu'elle brisa la surface et elle avala la plus grande bouffée d'air de sa vie. Mais le répit fut bref.

— Paul! hurla-t-elle en pivotant pour scruter les débris et les têtes qui ballottaient autour d'elle sur l'étendue d'eau plate.

La personne la plus proche était un garçon d'une quinzaine d'années, athlétique, dont les boucles brunes étaient plaquées sur son visage. Il nagea en direction de Rosie pour voler à son secours.

— Tu es blessée? lui demanda-t-il dans un français teinté d'un léger accent américain.

Rosie était folle d'inquiétude.

— Paul! hurla-t-elle. Paul, où es-tu, nom de Dieu?

— Calme-toi. Économise ton souffle, dit le jeune Américain d'un ton autoritaire. Paul avait son gilet?

— Évidemment!

— On a tous été aspirés. Il a très bien pu refaire surface à cent mètres d'ici. Et toi? Ça va?

Rosie hocha la tête, tout en battant des jambes sous l'eau.

— Quelque chose m'a frappée dans le dos, mais c'est rien.

— Je m'appelle PT, dit l'adolescent. Accroche-toi à moi, tout ira bien. On doit être à moins d'un kilomètre de la côte.

Rosie regarda autour d'elle. Si elle entendait des cris au loin, il semblait n'y avoir personne d'autre à proximité. Ses yeux se trouvaient au niveau de l'eau et tout ce qu'elle voyait, c'était la lune dans le ciel et quelques lumières sur le rivage.

— Je crois que le courant nous a entraînés, commenta-t-elle.

— Je suis un bon nageur et j'ai l'impression que toi aussi, dit PT. On peut tenter d'atteindre la côte. En revanche, si on ne bouge pas, le froid va nous tuer.

Une larme perla dans l'œil de Rosie, alors qu'ils commençaient à nager vers le rivage. Des images furtives défilèrent dans son esprit : les documents de Mannstein éparpillés dans l'eau, sa mère pâle et maigre peu de temps avant d'être terrassée par le cancer, son père qui crachait du sang, le dernier râle de Hugo et le sourire d'Yvette quand Paul lui avait offert son joli dessin au moment de quitter la ferme, ce matin.

Elle regarda le jeune Américain.

— J'espère que mon frère est là, quelque part, dit-elle d'une voix étranglée par l'émotion. Je n'ai plus que lui.

lisez la série HENDERSON'S BOYS
en Grand Format

L'ÉVASION

Été 1940. L'armée d'Hitler fond sur Paris. Au milieu du chaos, l'espion britannique Charles Henderson recherche désespérément deux jeunes Anglais traqués par les nazis. Sa seule chance d'y parvenir : accepter l'aide de Marc, 12 ans, orphelin débrouillard. Les services de renseignement britanniques comprennent peu à peu que ces enfants constituent des alliés insoupçonnables. Une découverte qui pourrait bien changer le cours de la guerre…

LE JOUR DE L'AIGLE

1940. Un groupe d'adolescents mené par l'espion anglais Charles Henderson tente vainement de fuir la France occupée. Malgré les officiers nazis lancés à leurs trousses, ils se voient confier une mission d'une importance capitale : réduire à néant les projets allemands d'invasion de la Grande-Bretagne. L'avenir du monde libre est entre leurs mains…

L'ARMÉE SECRÈTE

Début 1941. Fort de son
succès en France occupée,
Charles Henderson est de
retour en Angleterre avec
six orphelins prêts à se
battre au service de Sa
Majesté. Livrés à un
instructeur intraitable,
ces apprentis espions
se préparent pour leur
prochaine mission
d'infiltration en territoire
ennemi. Ils ignorent
encore que leur chef,
confronté au mépris de sa
hiérarchie, se bat pour
convaincre l'état-major
britannique de ne pas
dissoudre son unité…

OPÉRATION U-BOOT

Printemps 1941. Assaillie
par l'armée nazie, la
Grande-Bretagne ne peut
compter que sur ses alliés
américains pour obtenir
armes et vivres. Mais
les cargos sont des proies
faciles pour les sous-
marins allemands,
les terribles U-boot.
Charles Henderson et ses
jeunes recrues partent à
Lorient avec l'objectif de
détruire la principale base
de sous-marins allemands.
Si leur mission échoue,
la résistance britannique
vit sans doute ses
dernières heures…

LE PRISONNIER

Printemps 1942. Depuis huit mois, Marc Kilgour, l'un des meilleurs agents de Charles Henderson, est retenu dans un camp de prisonniers en Allemagne. Affamé, maltraité par les gardes et les détenus, il n'a plus rien à perdre. Prêt à tenter l'impossible pour rejoindre l'Angleterre et retrouver ses camarades de **CHERUB**, il échafaude un audacieux projet d'évasion. Au bout de cette cavale en territoire ennemi, trouvera-t-il la mort… ou la liberté ?

TIREURS D'ÉLITE

Mai 1943. **CHERUB** découvre que l'Allemagne cherche à mettre au point une arme secrète à la puissance dévastatrice. Sur ordre de Charles Henderson, Marc et trois autres agents suivent un programme d'entraînement intensif visant à faire d'eux des snipers d'élite. Objectif : saboter le laboratoire où se prépare l'arme secrète et sauver les chercheurs français exploités par les nazis. Mais quelles sont les chances de combattants si jeunes face à la puissance de leurs ennemis impitoyables ?

Pour raison d'État, ces agents n'existent pas.